Mappa G ✓ KV-032-739 a

MAP OF ROME – PLAN DE ROME
STADTPLAN VON ROM – PLANO DE ROMA
PLAN RZYMU

Elenco stradale - Linee auto-tramviarie - Musei e Gallerie Alberghi - Ristoranti

Street list - Bus lines - Museums and Galleries - Hotels - Restaurants

Liste routière - Lignes des bus - Musées et Galeries - Hotels - Restaurants

Strassenverzeichnis - Bus-und Strassenbahnlinien - Museen und Galerien - Hotels - Restaurants

Elenco de calles - Lineas auto-tramviarias - Museos y Galerias - Hoteles - Restaurantes

Spis ulic - Linie tramwajowe - Muzea i Galerie - Hotele - Restauracje

Percorsi Metro e FS - Metro and FS routes
Parcours des Metro et FS - Recorridos
Metro y FS - U-bahn und FS-Strecken (Zug)

M

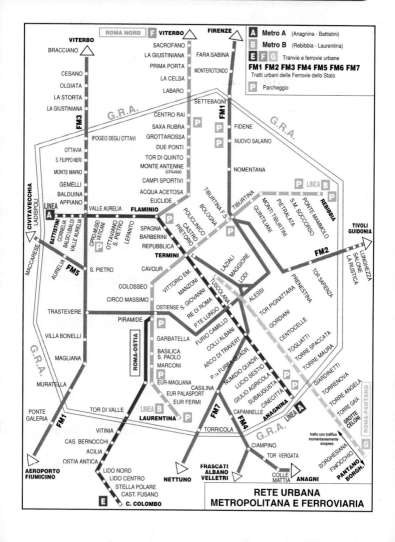

· INDEX · SOMMAIRE · INHALT · ÍNDICE · SPIS TRESCI · **INDICE**

Il Vaticano

È da circa sei secoli (1377) la residenza dei Papi poiché, prima del trasferimento della corte pontificia ad Avignone (1309-1377), la sede del papato era il Laterano. Sulla cattedra di San Pietro si sono succeduti in linea ininterrotta 265 pontefici. La città del Vaticano è uno Stato indipendente retto dal Sommo Pontefice e delimitato dalle Mura Leonine.

The Vatican

It has been the residence of the Popes for about six centuries (since 1377). In fact, before the transfer of the Pontifical Court to Avignon (1309-1377), the Papal seat was at the Lateran. 265 Popes have sat on the throne of St. Peter in an uninterrupted line. Vatican city is an indipendent State ruled by the Supreme Pontiff (the Pope).

Le Vatican

C'est la résidence des Papes depuis environ six siècles (1377). Le St-Siège était au Latéran jusqu'à son transfert en Avignon (1309-1377). Sur la Chaire de St-Pierre se sont assis déjà 265 Pontifes. La Cité du Vatican est un État indépendant, gouverné par le Pape.

Der Vatikan

Er ist seit ungefähr sechs Jahrhunderten (1377) die Residenz der Päpste. Vor der Versetzung des päpstlichen Hofes nach Avignon (1309) war der Lateran der Sitz des Papsttums. Auf dem Stuhl Petris saßen in ununterbrochener Reihenfolge 265 Päpste. Die Vatikanstadt ist ein unabhängiger Staat. Ist vom Papst geführt.

El Vaticano

Desde el año 1377, aproximadamente, es la residencia de los Papas. Antes del traslado de la corte pontificia a Aviñón (1309-1377) la sede del papado era el Letrán. Sobre la cátedra de Pedro se han sentado ininterrumpidamente 265 Pontifices. La ciudad del Vaticano es un estado independiente regido por el Sumo Pontífice.

Watykan

Od około sześciu wieków (1377) jest rezydencją Papieży. Przed przeniesieniem dworu papieskiego do Awinionu (1309-1377) siedzibą Papieży był Lateran. Należy stwierdzić, iż od najdawniejszych czasów, nie było Papieża który nie przyczyniłby się do wzrostu potęgi i prestiżu tworząc to wzgórze coraz bardziej wspaniałym i godnym Najwyższego Władcy Chrześcijaństwa, monarchy jedynej dynastii,

IL VATICANO
Piazza S. Pietro
(Vedi pianta - See map A - 5-6)
Bus: *23 - 34 - 40 - 46 - 49 - 62 - 64*
81 - 98 - 271- 492 - 571 - 870
881 - 907 - 916 - 982 - 990
Tram: *19*
Ⓜ *Linea A (Ottaviano-S. Pietro)*

uznającej państwa i imperia za dzieci jednego dnia. Na Piotrowej katedrze zasiadło nieprzerwanym ciągiem 265 papieży, wśród których było wielu męczenników i świętych.

Piazza San Pietro
Questa piazza, che è la più vasta di Roma, misura m. 240 di larghezza e m. 340 di lunghezza. Nel centro si eleva un bellissimo obelisco egiziano alto m. 25, sulla cui sommità figura una croce che si dice racchiuda la reliquia della vera croce di Cristo. Lo splendido colonnato che circonda la piazza è opera del Bernini, così come le 140 statue di Santi che lo decorano.

St. Peter's square
This square, which is the most imposing in Rome, is 240 metres wide by 340 metres long. In the centre stands a wonderful obelisk 25 metres high. A cross, which is said to contain the relic of the Holy Cross, stands on its top. The beautiful colonnade that surrounds the place was realized by Bernini as well as the 140 statues of Saints that adorn it.

Place St-Pierre
Cette place qui est la plus vaste de Rome, mesure 240 mètres de largeur sur 340 de longueur. Au centre s'élève un superbe obélisque égyptien haut de 25 mètres sur le sommet duquel il y a une croix renfermante, croit-on, la relique de la vraie croix de Jésus Christ. La merveilleuse colonnade qui entoure la place est un travail de Bernini ainsi que les 140 statues des Saints qui la décorent.

Petersplatz
Der Platz vor der Peterskirche ist der größte der Stadt Rom. Er ist 240 m. breit, und 340 m. lang. In der Mitte erhebt sich ein sehr schöner ägyptischer Obelisk, der 25 m. hoch ist und auf dessen Spitze sich ein Kreuz befindet, welches eine Reliquie des Kreuzes Christ enthalten soll. Die großartigen Kolonnaden des Bernini mit den 140 Heiligenfiguren umgeben den Platz.

Plaza de San Pedro
Esta plaza, que es la más grande de Roma, mide 240 mts. de ancho por 340 mts. de largo. En el centro se

eleva un magnifico obelisco egipcio de 25 mts. de alto, sobre cuya cúspide se halla una cruz que, se dicen, contiene la reliquia de la verdadera cruz de Jesucristo. La esplendida columnata que circunda la plaza, es obra de Bernini, como también las 140 estatuas de los Santos que la decoran.

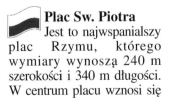 **PIAZZA SAN PIETRO**
(Vedi pianta - See map AB - 6)
Bus: *23 - 34 - 40 - 46 - 49 - 62 - 64*
81 - 98 - 271 - 492 - 571 - 870
881 - 907 - 916 - 982 - 990
***Tram:** 19*
Ⓜ *Linea A (Ottaviano-S. Pietro)*

Plac Sw. Piotra

Jest to najwspanialszy plac Rzymu, którego wymiary wynoszą 240 m szerokości i 340 m długości. W centrum placu wznosi się piękny obelisk egipski wysokości 25 metrów na którego szczycie znajduje się krzyż zawierający jak powiada tradycja relikwie krzyża Chrystusa. Wspaniała kolumnada otaczająca plac oraz dekorujące ją 140 postaci świętych są dziełem Berniniego.

Cappella Sistina

Fu eretta dall'architetto Giovanni de' Dolci per Sisto IV nel 1470. Gli affreschi che la decorano furono iniziati nel 1481. Nel 1508 Giulio II ordinò al giovane Michelangelo di dipingere il soffitto della Sistina. Il gigantesco lavoro ebbe inizio nel maggio 1508 e terminò nel giorno dei Morti dell'anno 1512, ventitré anni prima che il grande artista cominciasse il "Giudizio Universale". Dal 1980 ha avuto inizio un arduo lavoro di restauro della durata di circa dieci anni.

Sistine Chapel

It was built by architect Giovanni de' Dolci for Sixtus IV in 1470. The frescoes that decorate it were begun in 1481. In 1508 Julius II ordered young Michelangelo to paint the Chapel vault . The gigantic task was begun on May 1508 and finished on November the 2nd, 1512, that is twenty-three years after the great artist began the "Last Judgment". In 1980 the Chapel has been restored: this great work lasted about ten years.

Chapelle Sixtine

Elle fut erigée en 1470 par l'architecte Giovanni de' Dolci pour Sixte IV. Les fresques qui la décorent ont été commencées en 1481. En 1508 Julius II donna l'ordre au jeune Michelangelo de peindre le plafond de la Chapelle Sixtine. Le grand artiste commença ce travail ardu en 1508 en le terminant en 1512, le jour des Morts, vingt-trois ans avant que le "Jugement Dernier" ne soit mis en chantier . Un travail décennal de restauration, commencé en 1980, a rendu à la Chapelle sa splendeur originelle.

Sixtinische Kapelle

Die Kapelle wurde von dem Baumeister Giovanni de' Dolci im Jahre 1470 für Sixtus IV erbaut. Die Wandbilder wurden 1481 begonnen. 1508 beauftragte Julius II den jungen Michelangelo, die Decke der Sixtinischen Kapelle zu bemalen. Diese gigantische Arbeit dauerte von 1508 bis 1512, 23 Jahre vor der Ausführung des "Jüngsten Gerichtes". Von 1980 bis 1990 wurde die Kapelle restauriert.

Capilla Sixtina

Fue erigida por el arquitecto Giovanni de' Dolci para Sixto IV, en 1470. Los frescos que la decoran fueron comenzados en 1481. En 1508, Julio II ordenó al joven Michelangelo que pintara el techo de la Capilla Sixtina. El gigantesco trabajo fue comenzado en mayo del 1508 y terminado en el día de los difuntos del año 1512, veintitrés años antes del inicio del "Juicio Universal". En el año 1980 se inició un gigantesco trabajo de restauración que duró aproximadamente 10 años.

Kaplica Sykstynska

Zostala wzniesiona przez architekta Jana de' Dolci na zamówienie Sykstusa IV w

🚐 **CAPPELLA SISTINA**
(MUSEI VATICANI)
(Vedi pianta - See map A - 5)
Bus: *23 - 49 - 81 - 271 - 492 - 907 - 990*
Tram: *19*
Ⓜ *Linea A (Cipro-Musei Vaticani)*

1473 r. Prace nad zdobiącymi ją freskami rozpoczęto w 1481 r. W 1508 roku Juliusz II, polecił udekorowanie sufitu Kaplicy Sykstyńskiej młodemu Michałowi Aniołowi.To gigantyczne dzieło zostało rozpoczęte w maju 1508 roku i ukończone w dzień Święta Zmarłych w 1512 r., dwadziescia trzy lata przed zainaugurowaniem przez artystę Sądu Ostatecznego. W 1980 roku poddano freski gruntownym pracom konserwatoeskim, które trwały blisko dziesięć lat.

Castel Sant'Angelo

Anticamente era denominato Mole Adriana perché costruito dall'Imperatore Elio Adriano per farne la tomba imperiale. Nel castello venivano rinchiusi prigionieri famosi. Clemente VII si rifugiò nel Mausoleo e vide i furti e i sacrilegi attuati dalle truppe dell'Imperatore Carlo V nel 1527. Attualmente, in questo monumento, si trova un museo artistico e militare.

St. Angel Castle

Anciently it was called Adrian's Mausoleum because it had been built by the Emperor Adrianus to be his imperial tomb. Famous prisoners were shut up in the Castle. Clemente VII took shelter in the castle and witnessed the horrible thefts and sacrileges made by the troops of Emperor Carlo V in 1527. Today it is an important museum of art and military history.

Chateau St. Ange

Le château St. Ange était autrefois dit Môle d'Adrien du nom de l'Empe-reur Hélio Adrien qui l'avait commendée pour en faire son tombeau impérial. Beaucoup de fameux prisonniers furent enfermés dans le Château. Clemente VII se refugia dans le Mausolée et vit les vols et les sacrilèges realisés par les troupes de l'Empereur Carlo V en 1527. Actuellement on peut y visiter un musée artistique et militaire.

Engelsburg

Die Engelsburg wurde ursprünglich "Mausoleum des Hadrian" genannt, weil sie von Kaiser Hadrian als Grabbau für sich und seine Nachfolger gebaut wurde. In der Engelsburg wurden Persönlichkeiten gefangen gehalten. Papst Klemens VII versteckte sich im Mausoleum und sah Diebstähle und Sakrilege, welche die Truppen von Kaiser Karl V im Jahre 1527 ausführten. Hier ist nun ein Kunst-und Militärmuseum untergebracht.

Castillo del Santo Ángel

Antiguamente fue denominado mausoleo de Adriano

porque edificado por el Emperador Adriano, que lo destinó como lugar de su sepultura. En el Castillo fueron encerrados prisioneros famosos. Clemente VII se refugió en el mausoleo y vió los robos y sacrilegios de las tropas del Emperador Carlos V en el 1527. Actualmente, allí, se encuentra un museo artístico y militar.

Zamek Św. Aniola

Zamek Świętego Anioła zwany w czasach starożytnych "Mauzoleum Hadria-na" wzniesiony został był

CASTEL S. ANGELO
P. Adriana
(Vedi pianta - See map C - 5-6)
Bus: *23 - 34 - 40 - 46 - 62 - 64 - 98*
271 - 280 - 571 - 870 - 881 - 916 - 982

przez cesarza Elio Hadriana miał pełnić rolę grobowca imperatora. W zamku więziono wiele znanych osobistości. Klemens VII schronił się w Mauzoleum i był świadkiem rabunków i świętokradztwa dokonanych przez oddziały Cesarza Karola V w 1527 r. Obecnie znajduje się tam muzeum sztuki i muzeum wojskowe.

Il Colosseo

Questo immenso anfiteatro, i cui resti imponenti permettono tuttora di poterne ammirare l'antico splendore, fu iniziato da Vespasiano nel 72 d. C. e portato a termine da suo figlio Tito nell'80. I prigionieri ebrei furono impiegati nella sua costruzione. Il suo vero nome è "Anfiteatro Flavio" e poteva contenere più di 50.000 spettatori. La facciata è scandita da tre ordini di arcate, ognuna ornata da colonne, rispettivamente, in stile dorico, ionico e corinzio.

The Colosseum

This immense amphitheatre, of which we still admire the ancient splendour, was begun by Vespasian in A.D. 72 and finished by his son Titus in A.D. 80. Jewish prisoners were employed in its construction. Its real name is "Flavian Amphi-theatre", and it could contain more than 50,000 spectators. Around the exterior run three orders of arches, respectively adorned with Doric, Ionic and Corinthian pilasters.

Le Colisée

Cet immense amphithéâtre, dont les restes imposants permettent de se faire une idée de son antique splendeur, fut commencé par Vespasien dans l'an 72 ap. J.C. et terminé dans l'an 80 par son fils Titus. Ce furent les prisonniers juifs qui furent employés à sa construction. Son véritable nom est "Amphithéâtre Flavien", et il pouvait contenir plus de 50.000 spectateurs. La façade est ornée de trois ordres d'arcades, ornée respectivement de demicolonnes d'ordre dorique, ionique et corinthien.

Das Kolosseum

Dieses riesige Amphitheater, dessen gewaltige Reste immer noch seinen alten Glanz ahnen lassen, wurde von Vespasian im Jahre 72 n. Chr. begonnen und von seinem Sohn Titus im Jahre 80 vollendet. Jüdische Gefangene wurden zu den Bauarbeiten herangezogen. Sein wahrer Name ist "Amphihteater der Flavier" und es bot mehr als 50.000

Menschen Platz. Jedes Arkadengeschoß hat 80 Bögen, die durch dorische, ionische und korinthische Halbsäulen gegliedert sind.

El Coliseo

Este inmenso anfiteatro, cuyos imponentes restos, permiten todavía admirar su antiguo esplendor, fue comenzado por Vespasiano en el año 72 d.C. y terminado por su hijo Tito en el año 80. En su construcción fueron empleados los prisioneros hebreos. Su verdadero nombre es "Anfiteatro Flavio", y tenía una capacidad de más de 50.000 espectadores. Los arcos son 80 en cada orden, intercalados con semicolumnas de orden dórico, jónico y corintio.

IL COLOSSEO
Piazza del Colosseo
(Vedi pianta - See map F - 8)
Bus: *60 - 75 - 81 - 85 - 87 - 117*
175 - 271 - 571 - 673 - 810 - 850
Tram: *3*

Ⓜ *Linea B (Colosseo)*

Koloseum

Ten amfiteatr o olbrzymich wymiarach, którego pozostałości aż do dziś pozwalają podziwiać jego antyczny majestat, został rozpoczęty przez Wespazjana w 72 p.n.e i u-koń-czo-ny przez jego syna Tytusa w 80 r. Przy budowie zatrudniono więźniów żydowskich. Właściwa nazwa brzmi Amfiteatr Flawiusza lecz znany powszechnie jako Koloseum, amfiteatr mógł pomieścić 50 000 widzów. Każdy poziom składa się z osiemdziesięciu łuków podzielonych przez półkolumny w stylu doryckim, jońskim i korynckim.

13

Foro Romano

Il Foro Romano è il luogo più celebre dell'antica Roma. Qui si svolgeva la vita pubblica d'allora, i comizi, le feste, le cerimonie. Tuttavia oggi si vedono i resti dei monumenti di tutte le epoche. Danneggiato da un incendio nel 283, fu restaurato da Diocleziano, ma dal IV secolo iniziò a decadere seguendo la sorte di Roma.

Roman Forum

The Roman Forum is the most celebrated place in ancient Rome. It was the centre of the Roman life where its meetings, festivals, and ceremonies took place. There are to be seen the remains of the ancient Temples of all ages. It was damaged by a fire in 283 and restored by the Emperor Diocletian. From the fourth century AD it began to fall into decay - echoing the fate of Rome itself.

Forum Romain

Le Forum Romain

est l'endroit le plus célèbre de l'ancienne Rome. C'est là que se déroulait et se manifestait sa vie publique; les comices, les révoltes, les fêtes et les cérémonies: c'était, en somme, le coeur de la ville. On y voit encore les restes des monuments de tous les âges. Endômmagé par un incendie en 283, il a été restauré par l'Empereur Diocletien mais, depuis le IVème siècle, en suivant le sort de Rome, il commença à être en décadence.

Forum Romanum

Das römische Forum ist der berühmteste Ort des alten Roms. Hier spielte sich das öffentliche Leben jener Zeit ab; hier fanden die Versammlungen der Stände, Feste und Feierlichkeiten statt, so daß man das Forum als Mittelpunkt des römischen Lebens ansehen kann. Hier sieht man die Überreste von Tempeln aller Epochen. Durch einen Brand im Jahre 283 beschädigt, wurde das Forum Romanum von Diokletian restauriert, jedoch begann im IV. Jahrhundert sein Zerfall. Ein Schicksal, das es mit Rom teilte.

Foro Romano

El Foro romano es el más célebre de la antigua Roma. Aquí se desarrollaba la vida pública de aquel tiempo, los mítines, las fiestas y las ceremonias. Todavía, hoy se pueden ver los restos de los monumentos de todas las épocas. Dañado por un incendio en el 283, fue restaurado por Diocleciano, pero desde el siglo IV comenzó a decaer, siguiendo la suerte de Roma.

Forum Romanum

Forum Romanum jest naświetniejszym miejscem starożytnego Rzymu. Było miejscem ówczesnego życia publicznego, zebrań, festynów, uroczystości.
Można tutaj podziwiać budowle z wszystkich epok. Zniszczone podczas pożaru w 283 r. zostało odbudowane przez Dioklecjana, lecz od IV wieku popadło w ruinę wraz z upadkiem Rzymu.

FORO ROMANO
Via dei Fori Imperiali
(Vedi pianta - See map E - 7)
Bus: *60 - 75 - 84 - 85 - 87 - 117*
175 - 271 - 571 - 810 - 850
M *Linea B (Colosseo)*

Monumento a Vittorio Emanuele II

Il Monumento a Vittorio Emanuele II (detto anche "Vittoriano"), ultimato nel 1911 per celebrare l'Unità d'Italia, fu disegnato da Giuseppe Sacconi (1885-1911). Sorge alla base del Campidoglio, nel cuore di Roma, ed è di chiaro sapore neoclassico. Sotto la statua della dea Roma si trova la Tomba del Milite Ignoto.

Monument to Victor Emmanuel II

This monument (called also "Vittoriano"), was designed by Count Giuseppe Sacconi in order to celebrate the unity of Italy. It was begun in 1855 and inaugurated in 1911. It rises at the foot of the Capitol and it is late neo-classic in style. Under the statue of the goddess Rome there is the Tomb of the Unknown Soldier.

Monument à Victor Emmanuel II

Le Monument à Victor Emmanuel II (appelé aussi "Vittoriano") a été dessiné par le Comte Giuseppe Sacconi pour célébrer l'unité de l'Italie. Il s'élève aux pieds du Capitole, en plein coeur de Rome. Sous la statue de Rome, il y a la Tombe du Soldat Inconnu.

Denkmal für Viktor Emanuels II

Das Denkmal Viktor Emanuels II. (auch Viktorianum genannt), wurde 1911, nach Plänen von Giuseppe Sacconi (1885-1911) fertiggestellt, um die Einigung Italiens zu feiern. Es ragt am Fuße des Kapitols empor und ist ein Werk rein neuklassizistischen Stils im Herzen Roms. Unter der Statue der Roma befindet sich das Grab des Unbekannten Soldaten.

Monumento a Victor Manuel II

El monumento a Victor Manuel II (llamado también "Victoriano"), concluido en el 1911 para celebrar la Unidad de Italia, fue dibujado por Giuseppe Sacconi (1885-1911). Se eleva sobre

la base del Capitolio, en el corazón de Roma, y es de marcado estilo neoclásico. Debajo de la Estatua de Roma está la tumba del Soldado Desconocido.

 Pomnik Wiktoria Emanuela II

(Zwany także "Wiktoriańskim") wzniesiony jako apoteoza niezależności Włoch, został zaprojektowany przez Józefa Sacconiego (1885-1911). Wznosi się u stóp Kapitolu

 MONUMENTO A VITTORIO EMANUELE II
Piazza Venezia
(Vedi pianta - See map DE - 7)
Bus: *H - 30 - 40 - 44 - 46 - 60 - 62 - 63*
64 - 70 - 81 - 84 - 85 - 87 - 95 - 117
119 - 160 - 170 - 175 - 271 - 492 - 571 - 628
630 - 715 - 716 - 780 - 781 - 810 - 850 - 916

w centrum Rzymu i jest typowym przykładem neoklasycyzmu. Pod statuą przedstawiającą boginię Romę znajduje się Grób Nieznanego żołnierza.

Il Campidoglio

La piazza del Campidoglio fu disegnata da Michelangelo (1534-1549), che vi alzò, su un nuovo piedistallo, la statua equestre di Marco Aurelio, la sola che ci sia pervenuta fra tante statue equestri in bronzo che abbellivano Roma. A sinistra, il Palazzo del Museo Capitolino, che ospita un'importante raccolta di sculture; in fondo, il Palazzo Senatorio.

The Capitol

Capitol square was designed by Michelangelo (1534-1549). The old artist placed on a new pedestal the equestrian statue of Marco Aurelio, the only one of the many bronze equestrian statues once adorning Rome that survived. On the left is the palace of the Capitoline Museum, with an important collection of sculptures; at the end of the square there is the Senatorial Palace.

Le Capitole

La place du Capitole fut dessinée par Miche-langelo (1534-1549). Le vieil artiste hissa sur un nouveau piédestal la statue équestre de Marco Aurelio, la seule qui soit parvenue jusqu'à nous des nombreuses statues équestres en bronze qui embellissaient Rome. A gauche il y a le Palais du Musée Capitolin où l'on trouve une remarquable collection de sculptures; au fond on peut voir le Palais Sénatorial.

Das Kapitol

Der Kapitolsplatz wurde von Michelangelo (1534-1549) entworfen. Der bereits alte Künstler stellte die Reiterstatue Mark Aurels, die einzige der vielen Bronze-Reiterstatuen Roms, die uns erhalten geblieben ist, auf einen neuen Sockel. Links der Palast mit dem Kapitolinischen Museum in dem sich eine wichtige Bildhauersammlung befindet; im Hintergrund der Senatspalast.

El Capitolio

La plaza del Capitolio fue diseñada por Michelan-

gelo que levantó sobre un nuevo pedestal la estatua ecuestre de Marco Aurelio, la única que es llegada de tantas estatuas ecuestres en bronce que embellecían Roma. A la izquierda el Palacio del Museo Capitolino, con una importante colección de esculturas; al fondo, el Palacio Senatorial.

Kapitol

Plac na Kapitolu został zaprojektowany przez Michała Anioła (1534 -1549). Artysta umieścił w jego

IL CAMPIDOGLIO
Piazza del Campidoglio
(Vedi pianta - See map E - 7)
Bus: H - 30 - 40 - 44 - 46 - 60 - 62 -63
64 - 70 - 81 - 84 - 85 - 87 - 95 - 117
119 - 160 - 170 - 175 - 271 - 492 - 571
628 - 630 - 715 - 716 - 780
781 - 810 - 850 - 916

centrum posąg Marka Aureliusza na koniu, jest to jedyny tego rodzaju pomnik, odlany z brązu, który przetrwał do naszych czasów. Po lewej stonie wznosi się Pałac Muzeum Kapitolińskiego z bogatymi zbiorami posągów a w głębi placu Pałac Senatorski.

19

Trinità dei Monti

La prima cosa che colpisce é l'incantevole, monumentale scalinata dell'architetto De Santis (1722) sulla cui sommità domina la Chiesa della SS. Trinità de' Monti, caratterizzata dai due campanili (1495). Davanti alla facciata si erge un obelisco, rinvenuto negli Orti Sallustiani nel 1808. Ai piedi della scalinata, si adagia la fontana della "Barcaccia" eseguita nel 1629 da Pietro Bernini, padre del famoso scultore e architetto Gian Lorenzo.

Trinità dei Monti

The first thing that strikes us are the charming Monumental Steps (1722) at whose top there is the church of SS. Trinità de' Monti with its two beautiful belfries (1495). An obelisk, found in the gardens of Sallust in 1808, rises in front of the church. At the foot of the steps, prettily lies the fine fountain of the "Barcaccia" erected in 1629 by Pietro Bernini, the father of the famous sculptor and architect Gian Lorenzo.

Trinità dei Monti

La première chose qui frappe sur cette place est la merveilleuse rampe d'escaliers construite en 1722 par l'architecte De Santis au sommet de laquelle on peut admirer l'église de la Trinità de' Monti, caracterisée par ses deux clochers (1495). Devant la façade, il y a un obélisque qui fut retrouvé en 1808 dans les jardins de Salluste. Au bas de l'escalier de la Trinità dc' Monti, on peut voir la fontaine de la "Barcaccia" executée en 1629 par Pietro Bernini, père du fameux sculpteur et architecte Gian Lorenzo.

Trinità dei Monti

Das erste was uns hier beeindruckt, ist die bezaubernde "Spanische Treppe" des Architekten De Santis (1722), über der die Kirche Santissima Trinità dei Monti mit den beiden Glockentürmen (1495) beherrscht. Vor der Fassade befindet sich der ägyptische Obelisk, der 1808 in den Gärten Sallusts gefunden wurde. Am Fuße der breiten Treppe, auf dem Spanischen Platz, befindet sich der graziöse Bootsbrunnen "Barcaccia",

ausgeführt von Pietro Bernini, Vater des berühmten Bildhauers und Architekten Gian Lorenzo.

Trinità dei Monti

Lo primero que atrae nuestra atención, es la sugestiva y monumental escalinata (1722), en cuya cima domina la iglesia de la santisima Trinità de' Monti, con las dos campanarios (1495) y delante de la fachada un obelisco que fue hallado en los huertos Salustianos en 1808. En la plaza de España (Piazza di Spagna), a los pies de la escalinata, se halla la grandiosa fuente de la "Barcaccia", obra de Pietro Bernini, padre del famoso arquitecto y escultor Gian Lorenzo que la realizó en 1629.

TRINITÀ DEI MONTI

Piazza di Spagna
(Vedi pianta - See map E - 5)
***Bus:** 117 - 119*
Via del Tritone: 52 - 53 - 61 - 62 - 63 - 71
80 - 95 - 116 - 117 - 119 - 175 - 492

M *Linea A (Spagna)*

Trinità dei Monti

Pierwsza rzecz jaka nas uderza, to monumentalne schody, według projektu De Santisa (1722) na którymi góruje kościół Trinità dei Monti z charakterystycznymi dwoma wieżami (1495). Przed fasadą wznosi się obelisk odnaleziony w 1808 r w Ogrodach Salustriańskich. Na Placu Hiszpanskim, u stóp schodów, wyrasta pełna wdzięku fontanna "Barcaccia" Berniniego (1629).

Pantheon

Questo tempio è l'unico monumento in stile classico rimasto integro a Roma. L'iscrizione nella cornice del portico "M. Agrippa L. F. Cos. tertium fecit", si riferisce ad un Tempio edificato dal Console Agrippa, nel 27 a.C., e da lui dedicato alle divinità tutelari della famiglia Giulia. L'attuale costruzione risale al 117-125 d.C. sotto l'Imperatore Adriano: essa custodisce le tombe di Raffaello e dei re d'Italia.

Pantheon

This temple is the only monument in classical style which can be found intact in Rome. The inscription on the architrave of the portico "M. Agrippa L. F. Cos. tertium fecit", refers to a temple erected by Agrippa, in 27 B.C., who dedicated it to the tutelary divinities of the Julia family. The present construction was remodelled in 117-125 A.D. under the Emperor Hadrian. This monument contains the tombs of Raphael and the kings of Italy.

Pantheon

Ce temple est le seul monument en style classique resté intact à Rome. L'inscription que l'on peut lire sur le fronton du portique "M. Agrippa L. F. Cos. tertium fecit", se réfère au temple érigé par le Consul Agrippa, pendant l'année 27 av. J.-C., qui le dédia aux divinités tutélaires de la famille Julienne. La construction actuelle remonte aux ans 117-125 ap. J.-C. et elle fut erigée sous l'Empereur Hadrien. C'est ici que l'on trouve les tombes de Raphael et des rois d'Italie.

Pantheon

Es ist das vollkommenste aller erhalten gebliebenen klassichen Bauwerke. Die Inschrift am Gesims der Säulenhalle "M. Agrippa L. F. Cos tertium fecit", bezieht sich auf einen von Agrippa im Jahre 27 v. Chr. errichteten Tempel für die Schutzgötter der Familie Julia. Die gegenwärtige Konstruktion wurde von 117-125 n. Chr. unter Kaiser Hadrian gebaut und birgt die

Grabmäler von Raffaello und der Könige Italiens.

Pantheon

Este templo es el más perfecto monumento romano de estilo clásico que existe en esta ciudad. La inscripción que se ve en la cornisa del pórtico "M. Agrippa L. F. Cos. tertium fecit", se refiere a un templo erigido por Agrippa en el año 27 a.C. a las divinidades tutelares de la familia Julia. Este templo fue destruido por un incendio en el año 80 d.C. La construcción actual se remonta al 117-125 d.C. bajo el Emperador Adriano y tiene en custodia las tumbas de Rafael y de los Reyes de Italia.

PANTHEON
Piazza della Rotonda
(Vedi pianta - See map D - 6)
Bus: 116 - Largo Torre Argentina: H - 30
- 40 - 46 - 62 - 64 - 70 - 81 - 87 - 492
571 - 628 - 780 - 916 - **Tram:** 8

Pantheon

Jest to jedyny w Rzymie zachowany bez uszczerbku zabytek w stylu klasycznym. Napis na gzymise portyku "M. Agrippa L.F. Cos; tertium fecit" odnosi się do świątyni wzniesionej przez Agrypę w 27 p.n.e ku czci boskich patronów ro-dziny Julia. Aktualna konstrukcja datowana jest na lata 117-125 p.n.e i wzniesiona została za panowania cesarza Hadriana. Na Panteonie znajdują się grobowce m.in Raffaela i królów włoskich.

Piazza Navona

E' detta anche Circo Agonale ed è una delle più vaste e notevoli piazze di Roma. Essa occupa l'area dell'antico Circo di Domiziano di cui conserva la forma originale. La piazza è abbellita da tre fontane tra le quali spicca quella centrale, opera del Bernini. Questa è ornata da quattro statue che rappresentano il Danubio, il Gange, il Nilo e il Rio de la Plata.

Piazza Navona

It is also called Agonal Circus and is one of the largest and most remarkable squares in Rome. It occupies the area of the ancient Circus of Domitian still preserving its original form. Three fountains embellish the square. The most beautiful is the one in the middle, a work of Bernini. It is adorned with four statues which represent the Danube, The Ganges, The Nile and the Rio de la Plata.

Piazza Navona

Nommée aussi Cirque Agonale, elle est une des places les plus grandioses et renommées de Rome. Elle occupe l'emplacement de l'ancien cirque de Domitien dont elle conserve la forme primitive. Trois fontaines en font le plus bel ornement: celle du milieu, la plus remarquable, est due à Bernini. Elle se décore de quatre statues représentant le Danube, le Gange, le Nil et le Rio de la Plata.

Piazza Navona

Er wird auch Circo Agonale genannt, und ist einer der größten und bedeutendsten Plätze Roms. Er nimmt den Raum des alten Circus des Domitian ein und hat dessen Form beibehalten. Drei Springbrunnen verschönern ihn, wobei der mittlere, ein Werk von Bernini, der Schönste ist. Er trägt vier Statuen, welche die Donau, den Ganges, den Nil und den Rio de la Plata darstellen.

Piazza Navona

Una de la más grande y admirable plaza de Roma.

Tres fuentes adornan ésta plaza, de las cuales la más linda es aquella en el centro, obra de Bernini. La fuente es adornada de cuatro estatuas que representan: el Danubio, el Gange, el Nilo y el Rio de la Plata; en el medio se erige un obelisco egipcio de mármol.

Plac Navona

Zwany także "Circo Agonale" wznosi się w miejscu starożytnego Stadionu Domicjana. Plac

PIAZZA NAVONA

(Vedi pianta - See map C - 6)
Bus: H - 30 - 40 - 46 - 62 - 63 - 64
70 - 81 - 87 - 116 - 492 - 571
628 - 630 - 780 - 916
Tram: 8

zdobią trzy wspaniałe fontanny, środkowa najbardziej imponująca jest autorstwa Berniniego. Ozdobiona jest czterema statuami pzedstawiającymi cztery największe rzeki świata: Dunaj, Ganges, Nil i Rio de la Plata.

Fontana di Trevi

Questo monumento è celebre non solo per la sua acqua eccellente, ma anche per la leggenda secondo la quale chi la beve o chi getta una monetina nella vasca, si assicura il ritorno a Roma. La fontana, opera dell'architetto Salvi (1735) sotto Clemente XII, fu decorata da diversi artisti della scuola del Bernini. Al centro, sotto un'ampia arcata, si può ammirare la gigantesca statua mitologica di Oceano su di un cocchio tirato da cavalli marini condotti da Tritoni.

Fountain of Trevi

It is not only celebrated for its excellent water but also for the legend that whoever drinks it or throws a coin in the fountain, assures his return to Rome. The fountain was built by the architect Salvi (1735) in the time of Clement XII, and decorated by several artists of Bernini's school. In the centre, under a wide niche, stands the gigantic mythological statue of Ocean riding on a scallop shell drawn by sea-horses and driven by Tritons.

Fontaine de Trevi

Elle est connue non seulement pour ses eaux excellentes, mais aussi pour la tradition qui veut que tous ceux qui auront bu de son eau ou qui auront jeté une pièce de monnaie dans son bassin, seront certains de revenir un jour ou l'autre à Rome. La fontaine, oeuvre de l'architecte Salvi (1735), fut bâtie sous le pontificat de Clément XII et fut décorée par de nombreux artistes de l'école du Bernini. Au centre, sous une ample arcade, se dresse la gigantesque statue mythologique de Neptune triomphant sur un char ailé, tiré par des chevaux marins conduits par Triton.

Trevi-Brunnen

Er ist nicht nur für sein ausgezeichnetes Wasser berühmt, sondern auch wegen der Tradition, nach der Jeder, der aus ihm trinkt oder eine Münze in das Becken wirft, später wieder einmal nach Rom zurückkehrt. Der Brunnen wurde vom Architekten Salvi (1735) unter Klemens XII errichtet und von verschiedenen

Künstlern der Schule Berninis dekoriert. In der Mitte, unter einer weiten Arkade, erkennen wir die gigantische mythologische Figur des Ozeans, die auf einer Art von Muschel steht, welche von Seepferden gezogen und von Tritonen geführt wird.

Fuente de Trevi

Esta fuente es célebre no solo por su agua excelente, sino también por la leyenda; en efecto, ésta dice que la persona que la bebe puede estar segura que volverá a Roma. Esta fuente es obra del arquitecto Salvi (1735), bajo el Pontificado de Clemente XII, y fue decorada por varios artistas de la escuela de Bernini. En el centro, bajo los amplios arcos, la gigantesca estatua mitológica de Océano, en un carro tirado por caballos marinos, guiados por Tritones.

Fontanna Trevi

Słynna nie tylko dzięki swej znakomitej wodzie, lecz także i legendzie, która głosi, iż wrzucając do niej monetę powróci się raz jeszcze do

FONTANA DI TREVI
P.za di Trevi (Vedi pianta - See map E - 6)
Bus: *52 - 53 - 61 - 62 - 63 - 71 - 80 - 81*
85 - 95 - 116 - 117 - 119 - 160 - 175
492 - 628 - 630 - 850
M *Linea A (Barberini)*

Rzymu. Fontanna, dzieło architekta Salviego (1735), wykonana na zlecenie Klemensa XII została ozdobiona przez wielu artystów Szkoły Berniniego. W centrum, pod szerokim łukiem podziwiać można gigantyczną postać Oceanu w karecie zaprzężonej w konie morskie ciągnięte przez Trytonów.

S. Giovanni in Laterano

E' la cattedrale di Roma. Fondata da Costantino col titolo di Basilica del Salvatore, sotto il Pontificato di S. Silvestro (314-335), fu più volte distrutta e riedificata: la Basilica attuale risale al XVII sec. L'imponente facciata in travertino fu costruita nel 1735 da Alessandro Galilei. Le porte di bronzo furono tolte dalla Curia, al Foro, e trasportate nella Cattedrale per ordine di Alessandro VII (1655-1667).

St. John in Lateran

It is the Cathedral of Rome. Founded by Constantine and called the "Basilica of the Saviour" during the time of St. Silvester (314-335), it has been destroyed and rebuilt several times: the actual Basilica dates from the seventeenth century. The imposing façade in travertine was constructed in 1735 by Alessandro Galilei. The bronze doors were taken from the Curia, in the Forum, and brought to the Cathedral by order of Alessandro VII (1655-1667).

Saint Jean de Latran

Elle est la Cathédrale de Rome. Elle fut créé par Constantin sous le Pontificat de St. Sylvestre (314-335), sous le vocable de "Basilique du Sauveur". Elle fut détruite et reconstruite plusieurs fois: la Basilique actuelle est du XVIIème siècle.

L'imposante façade en travertin fut construite en 1735 par Alessandro Galilei. Les portes en bronze furent enlevées de la Curie, au Forum, et transportées dans la Cathédrale par ordre de Alessandro VII (1655-1667).

St. Johannes im Lateran

Sie ist die Kathedrale und Stammkirche Roms. Wurde von Konstantin unter dem Namen "Basilika des Erlösers" unter dem Pontifikat del Hl. Sylvesters (314-335) gegründet, mehrere Male zerstört und wieder neugebaut. Die gegenwärtige Basilika geht auf das 17. Jahrhundert zurück. Die weitgespannte Travertin-Fassade wurde 1735 von Alessandro Galilei gebaut.

Die Bronzetüren wurden auf Anordnung Alexanders VII (1655-1667) von der Kurie am Forum Romanum in die Kathedrale geschafft.

San Juan de Latran

Catedral de Roma. Fundada por Constantino con el título de "Basilica del Salvador" bajo el Pontificado de San Silvestre (314-335), fue varias veces destruida y reedificada. La Basilica actual, remonta al siglo XVII. La imponente fachada de travertino fue construida en el 1735 por Alessandro Galilei. Las puertas de bronce fueron sacadas (por la Curia) al Foro, y llevadas a la Catedral por orden de Alessandro VII (1655-1667).

S. GIOVANNI IN LATERANO

Piazza S. Giovanni in Laterano
(Vedi pianta - See map G - 8)
Bus: *16 - 81 - 85 - 87 - 117 - 218 - 360*
571 - 650 - 714 - 810 - 850 - **Tram:** *3*
Ⓜ *Linea A (S.Giovanni)*

Sw. Jan Na Lateranie

Jest rzymską Katedrą. Zbudowany przez Konstantyna i pod wezwaniem "Bazyliką Zbawiciela" w czasach panowania papieża Sylwestra (314-335), została wielokrotnie burzona i odbudowywana. Aktualna bazylika pochodzi z XVII wieku. Imponująca fasada z trawertynu jest dziełem Alessandra Gallilei. Brama Spiżowa została przeniesiona do bazyliki z gmachu Curii na Forum Romanum za panowania Aleksandra VII (1655-1667).

LINEE AUTOTRAMVIARIE A.T.A.C.
Bus and Tram A.T.A.C. lines of Rome - Info tel. 800-431784

Ove non diversamente indicato, l'orario si intende dalle 5.30 alle 24.00 circa. Le linee ultraperiferiche e di Ostia hanno orari limitati indicati sulle tabelle di fermata.
If not differently indicated, the schedule is from 5:30 a.m. to 12:00 a.m.. Suburban and Ostia lines have limitated times: they are shown on stop time-tables.

C
Linea celere, effettua solo le seguenti fermate - *Express special line making only the following stops*: Termini - P.le Verano - Staz. Tiburtina - V. Campi Sportivi - P. Mancini - Cimitero Flaminio **orario 7.00/17.50; time-table 7:00 a.m./5:50 p.m.**

C6
V. Mazzacurati - V. Portuense - V. Magliana - Staz. FS Magliana - V. Trullo - V. Portuense - V. Newton - V. Colli Portuensi - V. Leone XIII - V. Gregorio VII - Staz. Metro Cornelia - V. Boccea - V. Selva Candida - V. Palmaroloa - V. casal del Marmo - V. Trionfale - V. Cassia - P. Saxa Rubra

H
Linea speciale celere che effettua solo le seguenti fermate - *Express special line, making only the following stops*: Termini - P. Venezia - P. Sonnino - Ministero Pubbl. Istruzione - Staz. Trastevere - Ospe. San Camillo - Casaletto - V. Silvestri - V. Bravetta - V. Capasso **orario: 9.00/20.00; time-table 9:00 a.m./8:00 p.m.**

M
Termini - V. Volturno - P. Fiume - C.so d'Italia - P.le Flaminio - Via Flaminia - Pl. Ankara - Vl. Tiziano - V. Carpi - Vl. De Coubertin - Auditorium

V
Linea speciale interna al Cimitero del Verano, esercitata sperimentalmente sabato e festivi - *Verano's Cemetery special line. Service experimentally completed only on Saturdays, Sundays and Holidays*

2 TRAM
P.le Flaminio - V. Flaminia - V.le Tiziano (rit. Via Flaminia) - V.le Pinturicchio - P. A. Mancini

3 TRAM
Staz.Trastevere (P.le F. Biondo) - V.le Trastevere - V. G. Induno - V. Marmorata - P.le Ostiense - P.ta S. Paolo - V. Aventino - Colosseo - V.le Manzoni - Porta San Giovanni V - Santa Croce in Gerusalemme - Scalo San Lorenzo - Verano - V.le Regina Elena - V.le Regina Margherita - V.le Liegi Vl. Belle Arti - Valle Giulia **orario: 5.30/22.00; time-table 5:30 a.m./10:00 p.m.**

5 TRAM
P. dei Gerani (Centocelle) - V. dei Castani - V. Prenestina - L.go Preneste - P.ta Maggiore - V. Principe Eugenio - P. Vittorio - V. Napoleone III - V. Gioberti - V. Amendola (Staz. Termini)

8 TRAM
Casaletto - Vl. Colli Portuensi - Porta S. Giovanni di Dio - Osp. San Camillo - P. Dunant - Staz. Trastevere - Vl. Trastevere - P. Sonnino - V. Arenula - L.go Torre Argentina

14 TRAM
Togliatti (Quarticciolo) - V. Prenestina - L.go Preneste - V. Prenestina - P.ta Maggiore - V. Principe Eugenio - P. Vitt. Emanuele - V. Napoleone III - V. Gioberti - V. Amendola (Staz. Termini)

16
V. G. Costamagna - P. Montecastrilli - V. Nocera Umbra - V. Tuscolana - Piazza Ragusa - V. Enna - P. Villa Florelli - V. Alghero - V. La Spezia - P. P.ta San Giovanni - V. Merulana - S. Maria Maggiore - Stazione Termini - V. Volturno - Via XX Settembre

19 TRAM
P. dei Gerani - Via dei Castani - Via Bresadola - Via Prenestina - Porta Maggiore - Scalo S. Lorenzo - P.le d.Verano - Vl. Reg. Elena - Vl. Regina Margherita - Vl. Liegi - Vl. Belle Arti - V. Flaminia - V. Azuni - Vl. d. Milizie - Via Ottaviano - P. Risorgimento

20 ESPRESSA
V. di Tor Bella Monaca - V. D. Cambellotti - Vl. Heidelberg - Università Tor Vergata - Viale della Sorbona - V. A. Ciamarra - V. Giudice - Staz. Metro Anagnina

23
V. S. Pincherle - L.go E. Bortolotti - Basilica S. Paolo - P.le Ostiense - Via Marmorata - P. dell'Emporio - P. Monte Savello - P.te Garibaldi - P.te Vittorio Emanuele II - P.te Umberto - V. Triboniano - Via Crescenzio - Piazza Risorgimento - Via Leone IV - V. d. Giuliana - P.le Clodio

30 ESPRESSA
P.le Clodio - Vl. Mazzini - P. Mazzini - P. Cavour - C.so Rinascimento - Largo T. Argentina - V. Plebiscito - V. Petroselli - V. Marmorata - V. M. Polo - Via C. Colombo - Vl. Europa - Vl. d. Arte - Vl. Aeronautica - P.le Douhet - Stazione Metro Laurentina

31
P.le Clodio - Crv. Clodia - Crv. Trionfale - V. Cipro - V. Anastasio II - V.le Leone XIII - V.le Colli Portuensi - V.le I. Newton - P.te d. Magliana - V.le Pattinaggio - V. Tre Fontane - V.le Val Fiorita - V.le Tupini - V.le Europa - V.le d. Arte - Vl. Aeronautica - P.le Douhet - V. Laurentina - Staz. Metro Laurentina

32 Viale Tor di Quinto - Via Flaminia - Corso Francia - Largo Maresciallo Diaz - P.le Farnesina (Parcheggio/*Parking lot*) - Lgt. Cadorna - P.le Maresciallo Giardino - Vl. Angelico - Vl. delle Milizie - Vl. Giulio Cesare - P. Risorgimento

34 Via Monte del Gallo - Porta Cavalleggeri - Piazza Della Rovere - Ponte Vittorio Emanuele - Via San Pio X - Via Porta Castello - Via Crescenzio - Piazza Cavour (rit. Via Crescenzio - Via Cancellieri - Via Vitelleschi - Porta Pia - Lgt. in Sassia) **fino alle ore: 21.00; till 9:00 p.m.**

36 Largo F. Labia - Viale De Filippo - Via Talli - Viale Bettini - Viale Cervi - Via Vigne Nuove - Via G. Conti - Via Isole Curzolane - Via Vigne Nuove - Viale Adriatico -Via Stelvio - Viale Carnaro (rit. Vl. Adriatico) - Via Gargano - Via Nomentana - Porta Pia - Via XX Settembre - Piazza dei Cinquecento (Stazione Termini)

38 Via Baseggio - V. Bettini - V. Della Seta - V. Monte Cervialto - V. Val Melaina - P.le Jonio - Viale Tirreno - Piazza Conca d'Oro - V. d. Valli - Viale Libia - Viale Eritrea - Corso Trieste - V. Dalmazia - V. Nizza - P. Fiume - V. Piave - Via Goito - Piazza Indipendenza - Piazza dei Cinquecento (Stazione Termini)

40 ESPRESSA Termini - Piazza della Repubblica - Via Nazionale - Piazza Venezia - Largo Torre Argentina - Corso Vittorio Emanuele II - Ponte Vittorio Emanuele - Via S. Pio X - Piazza Pia

44 Via Montalcini (Villa Bonelli) - V. Statella - V. P. Colonna - Vl. Colli Portuensi - Via Virginia Agnelli - Piazza C. Forlanini - Piazza S. Giovanni di Dio - Via Ozanam - Via Fonteiana - Piazza Ottavilla - V. Dandolo (Ministero Pubblica Istruzione) - V. Induno - Lgt. Aventino - V. Teatro Marcello - Piazza Venezia

46 Stazione Monte Mario - Via Lombroso - Via Torrevecchia - Via Provenzale - Via P. Maffi - Piazza Capecelatro - V. Bonifazi - Via dei Monti di Primavalle - Largo Boccea - Piazza Irnerio - Via Aurelia - Largo Porta Cavalleggeri - Via Paolo VI - Borgo S. Spirito - V. S. Pio X - Corso Vittorio - Largo Torre Argentina - Piazza Venezia

46/ Via P. Gasparri (Primavalle) - Via Monti di Primavalle - Circ.ne Cornelia - Circ.ne Aurelia - Via Gregorio VII - Cavalleggeri - Piazza Della Rovere - Via Paola *(Solo feriale/Only on workdays)* **fino alle ore: 21.00; till 9:00 p.m.**

48 Via Pieve di Cadore - V. M. Fani - V. Igea - V. d. Camilluccia - L.go O. Respighi - V. Colli della Farnesina - Piazzale Maresciallo Diaz - Ponte Duca d'Aosta - Piazza A. Mancini

49 Stazione Monte Mario - Via Lombroso - Largo Millesimo - Via Torrevecchia - Via Pineta Sacchetti - Largo Boccea - Piazza Irnerio - Viale Vaticano - Piazza Risorgimento - Piazza Cavour

52 Via Archimede - Via S. Valentino - Piazza Don Minzoni - Piazza Pitagora - Piazza Ungheria - Via Paisiello - Via Po - Via Sallustiana - Piazza Barberini - Largo Tritone - Piazza S. Silvestro

53 Piazza A. Mancini - Lgt. Thaon di Revel - Via Flaminia - Viale De Coubertin - Viale XVII Olimpiade - Via Guidubaldo del Monte - Piazza Euclide - Parco delle Rimembranza - Viale Parioli - Piazza Santiago del Cile - Piazza Ungheria - Via G. Paisiello - Via Po - Via Sallustiana - P. Barberini - L.go Tritone - P. San Silvestro *(Solo feriale/Only on workdays)* **fino alle ore: 21.00; till 9:00 p.m.**

60 ESPRESSA L.go S. Pugliese - V. Ojetti - P. Talenti - V. Romagnoli - V. Nomentana - C.so Sempione - V. Nomentana - Porta Pia - V. Cernaia - V. XX Settembre - Piazza della Repubblica - V. Nazionale - P. Venezia - Fori Imperiali - Colosseo - Circo Massimo - Viale Aventino - P.le Ostiense - P.le dei Partigiani

61 P. Balsamo Crivelli - V. Bergamini - V. Fiorentini - Ospedale Sandro Pertini - Via dei Monti Tiburtini - Largo Lanciani - Via Lanciani - Viale Ventuno Aprile - P. Armellini - Via della Marsica - Via Livorno - P. Bologna - Via Ravenna - Via Catanzaro - Via Morgagni - Viale del Policlinico - Porta Pia - Via XX Settembre Via Palestro - Piazza Barberini - Largo Tritone - Piazza S. Silvestro

62 Piazza Bologna - Via Torlonia - Via Nomentana - Porta Pia - P. delle Finanze Piazza Barberini - Piazza San Silvestro - Via del Corso - Piazza Venezia - Corso Vittorio Emanuele II - Ponte Vittorio Emanuele II - Borgo Angelico - Piazza Pia

63 L.go Pugliese - Via Ojetti - P. Talenti - Viale Jonio - Viale Tirreno - Via d. Valli - Viale Somalia - Via Magliano Sab. - P. Vescovio - Via Priscilla - P. Crati - Via Sebino - Via Tagliamento - Via Po - Via Salaria (rit. C.so Italia) - P. Fiume - Porta Pia - Via XX Settembre - Via V. Orlando (rit. V. Cernaia) - Via Nazionale - P. Venezia - Via Plebiscito - Lg. Torre Argentina - Via Botteghe Oscure - Via Aracoeli - V. Teatro Marcello - P. Monte Savello (rit. Lgt. Pierleoni - Lgt. dei Cenci)

64 Stazione Termini - Via Nazionale - Piazza Venezia - Largo Torre Argentina - Corso Vittorio Emanuele II - Ponte Vittorio Emanuele II - Lgt. in Sassia - Piazza della Rovere - Porta Cavalleggeri - Via Crocifisso - Stazione S. Pietro (rit. per V. De Gasperi).

69 Largo S. Pugliese - Via Ojetti - Piazza Talenti - Viale Jonio - Via Prati Fiscali - P.te Salario - Via del Foro Italico - Viale Tor di Quinto - Piazzale Ponte Milvio - Lgt. Diaz - Lgt. Cadorna - P.le Maresciallo Giardino - Vl. Angelico - P.le Clodio

70 P.le Clodio - Via della Giuliana - Via Leone IV - Vl. Giulio Cesare - Via Marco Antonio Colonna - V. Cicerone - P. Cavour - C.so Rinascimento - C.so Vittorio - L.go Torre Argentina - P. Venezia - V. Nazionale - Santa Maria Maggiore - Via G. Giolitti (Staz. Ferrovie Laziali)

71 Stazione Tiburtina - Piazzale Verano - Piazzale Tiburtino - Via di Porta San Lorenzo - Stazione Ferrovie Laziali - Santa Maria Maggiore - Via Panisperna - Via Milano - L.go Tritone - P. S. Silvestro

75 V. A. Poerio (Monteverde) - Via Dandolo - Via Induno - Testaccio - Piramide - Circo Massimo - Colosseo - Via dei Fori Imperiali - Via Cavour - Stazione Termini - Piazza Indipendenza

80 ESPRESSA Piazza Vimercati - Via Monte Cervialto - Via Val Melaina - Piazzale Jonio - Viale Tirreno - Via delle Valli - Viale Libia - Viale Eritrea - Corso Trieste - Via Dalmazia - Via Nizza - Piazza Fiume - Via Sicilia (rit. Via Boncompagni - Corso Italia) - Via Vittorio Veneto - Piazza Barberini - Via del Tritone - Piazza San Silvestro

81 P. Malatesta - P.le Prenestino - Via La Spezia - S. Giovanni - V. Amba Aradam - V. Navicella - Colosseo - V. S. Gregorio - V. dei Cerchi (rit. V. Circo Massimo) V. Teatro Marcello - P. Venezia - L.go Torre Argentina - C.so Vittorio - Corso Rinascimento - P.te Umberto - P. Cavour - V. Cicerone - (rit. Passegg.di Ripetta - V. del Corso - P. Venezia) - V. C. di Rienzo - P. Risorgimento

84 Via Baseggio - Via Vigne Nuove - Via M.te Resegone - Via M.te Petrella - Via Isole Curzolane - Via Vigne Nuove - Vl. Adriatico - Via Adamello - Vl. Carnaro (rit. Vl. Adriatico) - Via Gargano - C.so Sempione - Via Nomentana Nuova - Via Val Trompia - Via Val di Nievole (rit. V. Val Chisone) - Via Val di Fiemme - Via Campi Flegrei - Via Val d'Arno - Via Val d'Aosta - Via Nomentana - Porta Pia - Via XX Settembre - Via V. Orlando - P. della Repubblica - (rit. Via Cernaia - Via Palestro) - Via Cavour - Via dei Fori Imperiali - P. Venezia

85 Piazza S. Silvestro - Via del Corso - P. Venezia - Via dei Fori Imperiali - Colosseo - P. S. Giovanni - Via Taranto - P. Ragusa - Via Tuscolana (rit. Via Albano - Via Colli Albani - L.go Colli Albani) - Via Genzano - Via dell'Arco di Travertino - Via Allumiere - Via dell'Arco di Travertino

86 Via Marmorale - Via Bellonci (rit. V. Nigro - V. Turri) - Via Tor S. Giovanni - Via Bufalotta - Via Zavattini - Via Antamoro - Via d. Bufalotta - Vl. Adriatico - Via Adamello - Via Carnaro (rit. Vl. Adriatico) - C.so Sempione - Via Conca d'Oro - Via d. Valli - Vl. Libia - Via Nemorense - Via Sebino - Via Tagliamento - Via Po - Via Salaria - P. Fiume - Porta Pia - Via XX Settembre - Via V. Orlando - Piazza della Repubblica (rit. V. Volturno - V. Cernaia) - P. dei Cinquecento

87 Largo dei Colli Albani - Via Fortifiocca - Via A. Baccarini - Via Etruria - Piazza Tuscolo - Piazzale Appio - Via Merulana - Via Labicana - Via dei Fori Imperiali Piazza Venezia - Via del Plebiscito - Corso Rinascimento - Piazza Cavour

88 P. Filattiera - Via Cavriglia - Via Conca d'Oro - Via delle Valli - Vl. Libia - Viale Eritrea - P. Istria - C.so Trieste - P. Dalmazia - V. Nizza - P. Fiume - C.so Italia - P.le Brasile - Vl. Washington - P.le Flaminio (rit. V. Gianturco - Via Vico) - Via Azuni - P.te Matteotti - V. Settembrini - Vl. Mazzini - P.le Clodio

90 ESPRESSA Lg. F. Labia - Vl. T. De Filippo - V. Talli - V. della Seta - P. Vimercati - Via Monte Cervialto - Via Isole Curzolane - P. d. Euganei - Vl. Adriatico - Via Adamello - Vl. Carnaro (rit. Vl. Adriatico) - Via Gargano - Via Nomentana - Porta Pia - Via XX Settembre - Lg. S. Susanna - Via V. E. Orlando (rit. Via Cernaia - Via Palestro) - P. d. Repubblica - P. dei Cinquecento (Staz. Termini)

92   Largo F. Labia - Vl. T. De Filippo - Via L. Cavalieri - Via Pian di Sco - P. Filattiera - Via Comano - Via della Serpentara - Staz.ne Nuovo Salario - Via Molazzana - Via Vaglia - Via Cavriglia - Lg. Valtournanche - Via Prati Fiscali - Via Salaria - Via Magliano Sabina - P. Vescovio - Via di Priscilla - Via di Novella - P. Crati - Via 3ebino - Via Tagliamonto - Via Po - Via Salaria - P. Fiume - Via Piave - Via Goito - P. Indipendenza (rit. Via Volturno) - P. d. Cinquecento (Termini)

93   Via M. Urano - Viadotto S. Pertini - Vl. T. de Filippo - Via L. Cavalieri - Via Talli - Via D. Seta - Via Monte Cervialto - Via Val Melaina - P.le Jonio - Vl. Tirreno - Via d. Valli - Vl. Libia - Vl. Eritrea - Via Bressanone - Via S. Costanza - Viale XXI Aprile - Vl. Province - Via Tiburtina - P.le Verano

95   P.le dei Partigiani - P.le Ostiense - V. C. Cestio - V. N. Zabaglia - Lgt Testaccio (rit. Via G. Branca) - P. d. Emporio - P. Bocca della Verità - V. L. Petroselli (Anagrafe) - P. Venezia - V. del Corso - V. del Tritone - V. Vittorio Veneto - Vl. Washington (Villa Borghese) - P.le Flaminio

98   L.go Reduzzi (Corviale) - V. Casetta Mattei - V. di Bravetta - Osp. Buon Pastore - Villini - V. di Poggio Verde - V. Bravetta - L.go Don Guanella - Via Torre Rossa - P. Villa Carpegna - V. Gregorio VII - P.ta Cavalleggeri - Via Paolo VI - Ponte Vittorio Emanuele II - V. Paola (rit. V. Penitenzieri - V. Paolo VI)

105   P. dei Cinquecento - V. Cavour - V. G. Amendola - V. F. Turati - V. P. Umberto - V.le Manzoni - V. di Porta Maggiore - V. Eleniana - P. Labicano (rit. P. di Porta Maggiore - V. Giovanni Giolitti - P. dei Cinquecento) - V. Casilina (rit. V. Casilina - Circ.ne Casilina - V. L'Aquila - P. del Pigneto - V. Casilina) Grotte Celoni

106   Staz. Torrenova - Casilina - Torre Gaia - Casilina - Grotte Celoni - Casilina - Borghesiana - Finocchio - Casilina - Pantano Borghese

110   **Giro Turistico** (*Sightseeing Tour*): Tutti i giorni; biglietto/*Everyday; ticket:* € 7,75. Part. dalla/*Departure from*: **Staz.Termini** - P. d. Repubblica - P. Barberini - V. V. Veneto - Villa Borghese - P.le Flaminio - P. del Popolo - V. Ripetta - P. A. Imperatore - P. Cavour - Castel S. Angelo - P. S. Pietro - C.so V. Emanuele (P. Navona) - L.go Argentina - Piazza Venezia - V. Fori Imperiali - Colosseo - Circo Massimo - P. Bocca d. Verità - Teatro Marcello - P. Venezia - Quirinale - V. Nazionale - S. M. Maggiore - Staz. Termini

111   P.le Staz.Tiburtina - V. Tiburtina - V. E. Checchi - V. R. Rossi - V. delle Cave di Pietralata - V. dei Durantini - V. di Pietralata - V. Flora - V. Pomona - V. di Pietralata - V. M. Tondi - P. F. Sacco

112   L.go Preneste - V. Prenestina - Quarticciolo - V. di Tor Sapienza - V. Collatina - V. R. Birolli - V. Emilio Longoni (INPS) **fino alle ore: 22.00; till 10:00 p.m.**

114   P. dei Mirti - V. dei Castani - V. dei Pioppi - V. delle Spighe - Vl. Alessandrino - Vl. Palmiro Togliatti - V. Prenestina - V. dei Castani - P. dei Mirti

115   Terminal Gianicolo - V. Gianicolo - P.le Garibldi - P.ta S. Pancrazio - V. Garibaldi - V. Lungara - Lgt. Gianicolense - Lgt. Farnesina - Lgt. Sanzio - P. Belli - Lgt. Alberteschi - Lgt. Ripa - V. Genovesi - V. S. Francesco a Ripa - V. Mameli - V. Garibaldi - P.le Garibaldi - V. Gianicolo - Terminal Gianicolo

116   P.ta Pinciana - V. Veneto - V. Tritone - P.za S. Silvestro - P. Parlamento - V. dei Prefetti - P. Nicosia - C.so Rinascimento - C.so Vitt. Emanuele - Via Baullari - Campo de' Fiori - P.za Farnese - Lgt. Sangallo - P.te Vittorio Eman. - Terminal bus Gianicolo (rit. Via Giulia) **orario: 8.00/20.00; time-table 8:00 a.m./8:00 p.m.**

116T   Via Veneto - P.za Barberini - V. Tritone - P.za di Spagna - P.za S. Silvestro - P.te Umberto - C.so Rinascimento - Campo de' Fiori - Lgt. Sangallo - Terminal Gianicolo (Linea speciale collegante i teatri; solo feriale/*Special line connecting some theatres; only on workdays*) **orario: 20.00/1.30; time 8:00 p.m./1:30 a.m.**

117   P. S. Giovanni in Laterano - V. S. Stefano Rotondo (rit. V. S. Giov. Laterano) - Piazza Celimontana - V. Claudia - V. Annibaldi - V. Milano - V. Due Macelli - Via del Babuino - Piazza del Popolo - (rit. V. del Corso - P. Venezia - V. Nazionale - Via dei Serpenti - Colosseo - Via Labicana - Via Celimontana) (Solo feriale/*only on workdays*) **orario: 8.00/21.00; time-table 8:00 a.m./9:00 p.m.**

118   P.le Ostiense - Vl. Aventino - Terme di Caracalla - P.ta S. Sebastiano - V. Appia Antica - V. Appia Pignatelli - V. S. Tarcisio - V. Annia Regilla - L.go dei Claudiani

119 P. d. Popolo - V. d. Corso - P. Venezia - V. d. Tritone - P. Barberini - V. V. Veneto - P.ta Pinciana - V. V. Veneto - P. Barberini - P. di Spagna - V. d. Babuino - P. d. Popolo (Nei giorni festivi e prefestivi la corsa termina a/*On Sundays, pre-Sundays, pre-Holidays the terminus is at Via V. Veneto*)

128 Basilica S. Paolo - V. Ostiense - P.te Marconi - Lgt. d. Inventori - P. Meucci - V. Magliana - V. Mondolfo - V. Lombardi - V. Imbrecciato - V. Magliana - Rimessa ATAC V. Candoni

135 Staz. Tiburtina - Crv. Nomentana - P. Addis Abeba - P. Gondar - V. Somalia - V.le Salaria - Aeroporto dell'Urbe - Bivio Castel Giubileo - Settebagni - Via Salaria angolo Via Piombino

141 Tiburtina (Verano) - VI. delle Provincie - V. Tiburtina - V. degli Equi - V. dei Sabelli - V. dei Sardi - Scalo San Lorenzo - L.go Passamonti - V. degli Ausoni - P. dei Sanniti - V. Tiburtina (Verano) **orario: venerdì e sabato 20.00/1.30; time-table friday and saturday 8:00 p.m./1:30 a.m.**

146 Policlinico Gemelli - V. Mattia Battistini - V. Boccea - V. Casalotti - L.go Mombasiglio

160 P. Elio Rufino - V. C. Colombo - L.go Terme di Caracalla - V. dei Cerchi - V. Teatro Marcello - P.Venezia - V. del Corso - P. San Silvestro. (Non effettua fermate nel tratto/*it does not stop at: P. Rufino - L.go Terme di Caracalla*) **orario: 7.00/21.00; time-table 7:00 a.m./9:00 p.m.**

163 Piazzale del Verano - Via Tiburtina - Stazione Metro Rebibbia

168 Staz. Tiburtina - Via Teodorico - Via Stamira - Via Livorno - Via Lorenzo il Magnifico - Piazza Bologna - Viale XXI Aprile - Via Panama - Piazza Ungheria - Piazza Euclide - Corso Francia - Piazzale della Farnesina (Solo feriale, 2 corse al giorno/*Only on workdays, two trips a day*)

170 Stazione Termini - Piazza d. Repubblica - Via Nazionale - Piazza Venezia - Via Teatro Marcello - Lgt. Aventino - Ponte Testaccio - Via Pascarella - Stazione Trastevere - Piazza della Radio - Viale Marconi - Via C. Colombo - Piazzale Agricoltura (EUR) - Via C. Colombo - Piazzale Agricoltura (EUR)

175 P.le d. Partigiani (Staz. Ostiense) - VI. Giotto - V. Guerrieri - P. Bernini - V. S. Saba - V. S. Prisca - V. Terme Deciane - Circo Massimo - V. S. Gregorio - Colosseo - V. Fori Imperiali - P. Venezia - P. Colonna - P. Barberini - P. d. Repubblica - Staz. Termini

186 P. Porta S. Giovanni - Via Labicana - Colosseo - Piazza Venezia - C.so Vittorio - P. Cavour - P. Mazzini - P. Maresciallo Giardino - P.le d. Farnesina (Solo feriale, 2 corse al giorno/*Only on workdays, two trips a day*)

188 Largo Diaz - Ponte Milvio - Via della Farnesina - Ponte Milvio - Largo Diaz (Solo feriale/*Only on workdays*) **orario: 8.00/19.40; time-table 8:00 a.m./7:40 p.m.**

200 Staz. Prima Porta - V. Flaminia Nuova - C.so Francia - Lgt. Thaon di Revel - P. A. Mancini (Alcune corse deviate per/*Some trips are switched to: VI. Tor di Quinto*)

201 Piazza Mancini - C.so Francia - L.go Maresciallo Diaz - Via Cassia - Tomba di Nerone - La Cappelletta - La Giustiniana - Via A. Conti - La Storta

204 Staz. Tiburtina - P.le Verano - Staz. Termini - P. Venezia - V. del Tritone - Via Veneto - P.le Flaminio - V. Flaminia - P. Mancini - C.so Francia - V. Flaminia - V. Tiberina - Cimitero Flaminio (Solo nei giorni festivi/*Only on Sundays*) **orario: 8.20/16.50; time-table 8:20 a.m./4:50 p.m.**

211 Stazione Tiburtina - Via Tiburtina - Via di Pietralata - Via Generale Bencivenga - V. Nomentana (rit. V. Val Brembana - V. di Pietralata) - P. Sempione - V. Cimone

213 L.go Preneste - V. Prenestina - V. Tor de' Schiavi - V. d. Robinie - VI. P. Togliatti - VI. Alessandrino

217 Viale XVII Olimpiade - Viale Parioli - Bioparco - Piazza Fiume - Via Goito - Stazione Termini

218 Castel di Leva (Divino Amore) - Via Ardeatina - Via Appia Antica - Via Cilicia - Via Latina - Piazza Epiro - Via dei Laterani - Piazza San Giovanni in Laterano (Alcune corse sono prolungate alle/*some trips are extended to: scuole Padre Formato*) **orario: 6.00/22.00; time-table 6:00 a.m./10:00 p.m.**

220 P. A. Mancini - Ponte Duca d'Aosta - L.go Maresciallo Diaz - V.le Tor di Quinto - C.so Francia - Via Cassia - Via San Godenzo - Via Due Ponti - Via Ischia di Castro - Largo Sperlonga

222 P. M. Azzarita (Villaggio Cronisti) - V. Cassia - P. Giuochi Delfici - V. di Vigna Stelluti - C.so Francia - P. Mancini **orario: 6.30/21.00; time-table 6:30 a.m./9:00 p.m.**

223 Stazione La Storta - Via Cassia - Via Cassia Nuova Corso Francia - Piazza Euclide - Piazza Pitagora - Via Mercadante (rit. Via Paisiello) - Via G. Battista Martini

224 Largo Sperlonga - Via Due Ponti - Via Oriolo Romano - Via Cassia - Corso Francia - Ponte Milvio - Foro Italico - Lungotevere Vittoria - Piazza Mazzini - Via Lepanto - Piazza Cavour - Via V. Colonna - Piazza Augusto Imperatore

228 Stazione Trastevere - Circonvallazione Gianicolense - Via G. Folchi - Via Portuense - Via del Trullo - Via della Magliana - Via delle Vigne - Monte delle Piche (rit. Via Vigna Girelli - Via Monte delle Capre - Via Portuense)

230 Moschea di Monte Antenne - Viale della Moschea (rit. Acqua Acetosa) - Viale Parioli - Parco della Rimembranza - Piazza Euclide. (Solo Venerdì/*Only on Fridays*) **orario: 11.15/17.00; time-table 11:15 a.m./5:00 p.m.**

232 Stazione Saxa Rubra - Largo De Luca - Via Tortora - Via Emery - Via Barendson (Centro Rai Saxa Rubra) - Due Ponti - Via Flaminia - Corso Francia - Viale Tor di Quinto - P.le Ponte Milvio - Lungotevere Maresciallo Diaz - Piazza Mancini

233 L.go M.llo Diaz - Foro Italico - P. Mancini - V.le De Coubertin - P.le Euclide - Staz. Acqua Acetosa - Moschea - V.le Somalia - V.le Libia - C.so Trieste - P. Istria - V. Bressanone

235 Piazza Vescovio - Viale Somalia - Via Salaria - Via Radicofani - Piazza dei Vocazionisti - Largo Fausta Labia (Fidene)

246 Crv. Cornelia - Piazza San Giovanni Battista de la Salle - Via Aurelia - Via Casal Selce - Malagrotta

247 Stazione F.S. Aurelia - Via Aurelia - Piazza S. Giovanni Battista de la Salle - Via Gregorio VII - Via Anastasio II - Via Cipro - Via Angelo Emo - Stazione Metro Cipro / Musei Vaticani

271 Lgt. Maresciallo Diaz - V. De Bosis - Lgt. Cadorna - P.le M. Giardino - V.le Angelico - P. Risorgimento - V. Vitelleschi - P. Pia - Lgt. in Sassia - Lgt. Gianicolense - Lgt. Raffaele Sanzio - Via Arenula - Piazza Venezia - Via Fori Imperiali - Colosseo - Via Celio Vibenna - Via San Gregorio - Viale Aventino - Piramide - Piazzale Partigiani - Via Ostiense - Basilica San Paolo

280 P. Mancini - Ponte Duca d'Aosta - Lgt. Maresciallo Cadorna - P.le Maresciallo Giardino - Lgt. della Vittoria - Piazza Bainsizza - Piazza Mazzini - Piazza Cola di Rienzo - Piazza Cavour - Lgt. Castello - Piazza della Rovere - Lgt. Gianicolense - Lgt. della Farnesina - Piazza G. Belli - Lgt. Ripa (rit. Lgt. Aventino) - Via Marmorata Piramide - Piazzale dei Partigiani

301 P. Mancini - Ponte Duca D'Aosta - Largo Maresciallo Diaz - Piazzale Ponte Milvio - Via Cassia - Tomba di Nerone - Via di Grottarossa (Istituto ASISIUM)

302 V. Salaria (Settebagni) - V. Scalo Settebagni - V. S. Antonio da Padova - V. Lucarie - V. Castel Giubileo - V. Flaminia - GRA - V. Quarto Peperino - Via Barendson - Viale Gigli - Saxa Rubra

308 V. Baseggio - V. Vigne Nuove - V. di Settebagni - V. Bufalotta - V. Tor S. Giovanni - Via Cesarina - V. Nomentana - V. Dante da Maiano **fino alle ore: 22.00; till 10:00 p.m.**

309 P. Bologna - V. Lorenzo il Magnifico - V. Tiburtina - Via C. Facchinetti - Piazza B. Crivelli (rit. V. di Casal Bruciato) - V. A. Bergamini - Via I. Giordani - Viale Sacco e Vanzetti - Via E. Franceschini - Via B. Bardanzellu - Via F. Santi - Via d. Badile

310 P. Vescovio - V. Priscilla - P. Acilia - P. Verbano - P. Ledro - P. Istria - V. S. Costanza - V.le XXI Aprile - P. Bologna - P.le d. Province - Vl. Ippocrate - Vl. dell'Università - P. Indipendenza - Staz. Termini

311 Staz. Metro Rebibbia - V. Casal de' Pazzi - V. B. Longo - V. Tagliere - V. Salazar - V. Negroni - V.le E. Galbani - V.le Kant - V.le Marx - V. Spinoza - V. Zanardini - V. Nomentana - P. Sempione

312 Largo Preneste - V. Prenestina - V. dei Castani - P. dei Mirti - V. dei Platani - Viale Alessandrino - Vl. dei Romanisti - V. Torre Spaccata - L.go Colombi (Torre Maura) - V. Casa Calda - Via dei Piovanelli. (*Alcune corse prolungate a/Some trips are extended to:* V. Longoni - INPS)

313 Via delle Valli - P. Conca d' Oro - Vl. Libia - Corso Trieste - P. Dalmazia - Via Nizza - P. Fiume - V. Nizza - P. Dalmazia - C.so Trieste - Vl. Libia - P. Conca d'Oro - Via delle Valli **orario: 10.00/20.00; time-table 10:00 a.m./8:00 p.m.**

314 Largo Preneste - Via Prenestina - Via Tor Sapienza - Via Collatina - Via Polense - Largo Rotello (Castelverde)

334 Grottarossa (rimessa Atac) - V. Flaminia - Vl. Barendson - V. S. Gigli - V. Flaminia - G.R.A. - Sal. Castel Giubileo - V. Grottazzolina - V. Salaria - G.R.A. - V. Morro d'Alba - V. Camerata P. - V. Rapagnano - V. Monte Giberto - V. Monte Urano - V. S. Leo - Via Incisa - V. Radicofani - Lg. F. Labia - Vl. T. De Filippo - V. Talli - V. Bertini - V. Baseggio

335 Via G. Verga - Via G. Stampa - Via Ojetti - Via Fucini - Via Bufalotta - Via Vigne Nuove - Via Isole Curzolane - Viale Jonio - Via Valle Scrivia - Via Val di Lanzo **orario: 7.20/19.00; time-table 7:20 a.m./7:00 p.m.**

336 L.go Pugliese - Via Fucini - Via Capuana - Via Di Breme - Via Ojetti - Via Lorenzini - Via D'Ovidio - Via G. Stampa - Via Ojetti - Via Casal Boccone - Via Deledda - Via G. Stampa - L.go Pugliese **fino alle ore: 22.20; till 10:20 p.m.**

337 Via Nomentana (Tor Lupara) - V. Casal Boccone - V. U. Ojetti - Largo S. Pugliese

338 Via Val di Lanzo - Viale Jonio - Via Monte Rocchetta - Via Monte Massico - Via G. Conti - Via Vigne Nuove - Via Settebagni - Via Bufalotta - Via Colonia Agricola **orario: 6.00/22.00; time-table 6:00 a.m./10:00 p.m.**

339 P. Porro Lambertenghi - Via Cordova - Via Suvereto - Via Calcinaia - Via Comano - Staz. Nuovo Salario - Via Molazzana - Via Seggiano - Via Foscari - Via Do Nava - P. Gallani - V. Bonomi - V. Valle Melaina - Vl. Jonio - V. Monte Rocchetta - V. Vigne Nuove - V. De Curtis - V. Iacobini - V. Fani - V. Romualdi - V. Cordova - V. Prina V. Suvereto - V. Calcinaia - P. Porro Lambertenghi

340 Via Colonia Agricola - Via Marcigliana - Via. Tor S. Giovanni - Via Bufalotta - Via Colonia Agricola **orario: 6.00/20.30; time-table 6:00 a.m./8:30 p.m.**

341 Via Baseggio - Via Vigne Nuove - viad. Gronchi - V. Fucini - V. Graf - Vl. Kant - Vl. Galbani - V. Casal de' Pazzi - V. Tiburtina - staz. Metro Ponte Mammolo

342 L.go Somalia - Vl. Somalia - Vl. Etiopia - V. Nomentana - V. Val d'Aosta - V. C. Flegrei - V. Nomentana Nuova - M.te Sacro - V. Nomentana - Via Romagnoli - V. Capuana - V. Fucini - V. Kant - V. Tilli - V. Fiori - Vl. C. Marx **fino alle ore: 22.00; till: 10:00 p.m.**

343 L.go Valtournanche - V. Conca d'Oro - V. Valle Scrivia - Vl. Tirreno - Monte Sacro - V. Nomentana - V. Casale S. Basilio - V. Filottrano - V. Fabriano - Via Mechelli - V. Recanati - V. Tiburtina - Rebibbia (Metro) - Ponte Mammolo

344 St. Metro P.te Mammolo - Via Tiburtina - Via Casale S. Basilio - Via Morrovalle (rit. V. Recanati) - Via Mechelli - Via Montegiorgio - Via Recanati - Via Fiuminata - Via Fabriano (rit. V. Filottrano) - V. Cas. S. Basilio - V. Cas. Boccone - V. G. Stampa - V. Ojetti - V. Romagnoli - V. Nomentana - P. Sempione - Vl.Tirreno - V. Conca d'Oro - L.go Valtournanche **fino alle ore: 22.00; till 10:00 p.m.**

349 P. Porro Lambertenghi - percorso inverso alla linea/*Backward route of bus:* **339**

360 P. Muse - P. Ungheria - Vl. Liegi - V. Salaria - P. Fiume - V. Goito - Termini - Santa M. Maggiore - P. V. Emanuele - P. Porta S. Giovanni - P. Tuscolo - V. Porta Latina - P. Galeria - P. Zama

404 Staz. Metro P.te Mammolo - V. Tiburtina - V. Casale S. Basilio - V. Filottrano - V. Fabriano - P. Urbania - V. Sanseverino - V. Tamassia - Vl. Cappi - V. Belmonte Sab. - V. S. Alessandro - V. Corniculum - V. San Giov. in Argentella (Casal Monastero)

409 Staz. Tiburtina - V. di Portonaccio - L.go Preneste - V. Acqua Bullicante - P. della Marranella - V. di Tor Pignattara - V. di Porta Furba - V. dell'Arco di Travertino

412 Via Adria - P. Ragusa - P. Lodi - Crv. Casilina - L.go Preneste - Via Acqua Bullicante - Via Formia - Via Cori - Via Teano - Via dei Gordiani - V. Ferraironi - Via Tor de' Schiavi - Via Anagni - Viale Agosta - Via Olevano Romano

440 Fermata metro Quintiliani - V. d. Durantini - V. Monti Tiburtini - Osp. S. Pertini - V. Cave di Pietralata - V. dei Durantini - V. Tiburtina - L.go Beltramelli - Fermata metro Quintiliani

441 Piazza F. Sacco - Via M. Tondi - Via di Pietralata - Via Casale Rocchi (Solo feriale/*Only on weekdays*). (Alcune corse sono deviate per/*Some trips are switched to*: V. Gemmellaro) **fino alle ore: 22.00; till 10:00 p.m.**

443 Piazzale Verano - Via Tiburtina - Via C. Pesenti - Via G. Bona - Via Tiburtina **orario: 5.30/22.00; time-table 5:30 a.m./10:00 p.m.**

444 Metro P.te Mammolo - V. Tiburtina - V. Cas. S. Basilio - V. Pollenza - V. Cas. Tidei - V. Sarnano - V. Sanseverino - VI. Cappi - V. Jemolo - V. Solazzi - V. Bonifacio (Torraccia)

445 Piazza Bologna - Viale XXI Aprile - Via R. Lanciani - Via Monti Tiburtini - Via Monti Pietralata - Via G. Curioni (Collina Lanciani). (Alcune corse sono deviate per/*Some trips are diverted to: Via G. Caraci, sede Motorizzazione*) **orario: 5.30/22.00; time-table 5:30 a.m./10:00 p.m.**

446 Circonvallazione Cornelia - V. Pineta Sacchetti - V. Trionfale - V. Forte Trionfale - VI. Cortina d'Ampezzo - V. Cassia - V. Orti della Farnesina - Piazzale Ponte Milvio - Largo Maresciallo Diaz - Ponte Duca d'Aosta - Piazza A. Mancini

447 Staz. Metro Rebibbia - V. Tiburtina - V. Tor Cervara - V. Tor Sapienza - Via Collatina V. Vertunni - V. J. della Quercia - V. Rustica - V. Vertunni (rit. V. Dameta - V. Vertunni V. Collatina). (Alcune corse deviate per/*some trips are diverted to: V. De Chirico*)

448 Piazzale del Verano - Via Tiburtina - Via Facchinetti (rit. Via di Casal Bruciato) Piazza Balsamo Crivelli - Via Zampieri - Piazza Balsamo Crivelli

449 Ospedale S. Pertini - V. Monti Tiburtini - V. F. Meda - V. Durantini (rit. V. R. Rossi V. Checchi) - V. Tiburtina (rit. V. Casal Bruciato - V. Zampieri) - P. Balsamo Crivelli - V. Bergamini - P. E. Persico - Via Grotta di Gregna - VI. Sacco e Vanzetti - Viale Togliatti - V. Tiburtina - V. Rivisondoli - V. Lanciano - V. Tiburtina - St. Metro Rebibbia **orario: 6.00/23.30; time-table 6:00 a.m./11:30 p.m.**

450 P. dei Mirti - V. dei Castani - V. dei Gelsi - VI. P. Togliatti - V. Prenestina - VI. della Serenissima - VI. Venezia Giulia - V. Collatina - V. Grotta di Gregna - V. d. Vanga - V. d. Badile - P. S. M. del Soccorso - (rit. Via Frantoio - V. d. Vanga) - V. Tiburtina - Via Pietralata - V. G. Michelotti - V. Tondi - V. Pietralata - V. Flora - V. Marica - V. Pietralata - Staz. Metro Pietralata **orario: 6.00/24.00; time-table 6:00 a.m./12:00 p.m.**

451 Staz. Metro Ponte Mammolo - Viale P. Togliatti - V. Pulvillo - Piazza Cinecittà

490 Staz. Tiburtina - P.le delle Provincie - P. Croce Rossa - P. Fiume - P.ta Pinciana - P.le Flaminio - P.te Matteotti - VI. delle Milizie - V. Andrea Doria - Via Angelo Emo - V. Baldo degli Ubaldi - P. Irnerio - Crv. Cornelia

491 Staz. Tiburtina - P.le delle Provincie - P.za Croce Rossa - P.za Fiume - Porta Pinciana - VI. G. Washington (P.le Flaminio). (Solo feriale/*Only on Weekdays*) **orario: 6.30/21.30; time-table 6:30 a.m./9:30 p.m.**

492 Staz. Tiburtina - P.le Verano - V. Ramni - VI. Castro Pretorio - Staz. Termini - P. d. Repubblica - P. Barberini - V. del Tritone - P. Venezia - L.go Argentina - C.so Rinascimento - V. Zanardelli - P.te Cavour - P. Cavour - V. Crescenzio - P. Risorgimento - V. Leone IV - V. Andrea Doria (rit. V. Candia) - Staz. Metro Cipro

495 Staz. Tiburtina - P.le delle Provincie - P. Croce Rossa - P. Fiume - Porta Pinciana - P.le Flaminio - Ponte Risorgimento - VI. Mazzini - P.le Clodio - Crv. Clodia - Crv. Trionfale - P.le degli Eroi - V. Angelo Emo - V. Baldo d. Ubaldi - Via Valle Aurelia

500 Staz. Metro Anagnina - V. Tuscolana - V. Anagnina - Grande Raccordo Anulare - Via B. Alimena - Università Tor Vergata (Solo feriale/*Only on weekdays*) **orario: 6.30/22.00; time-table 6:30 a.m./10:00 p.m.**

501 Largo Preneste - Via Prenestina fino al km/*Till km.* 17,700 - Via Rocca Cencia (Borghesiana). (Alcune corse deviate per/*Some trips diverted to: Istituto Agrario*) **fino alle ore: 21.00; till 9:00 p.m.**

502 P. dei Tribuni - P. S. Giov. Bosco - Cinecittà - V. Tuscolana - V. Ponte Sette Miglia - Via Schiavonetti - V. Barzilai - V. Gregoraci - V. I. Scimonelli - V. Comandini (Romanina)

503 P. di Cinecittà - V. Tuscolana - V. Anagnina - V. S. Agata di Esaro - San G. Morgeto - V. Bianchi Bandinelli - V. Orsi - V. Lucrezia Romana - V. Tuscolana - V. Anicio Gallo - P. Cinecittà - **fino alle ore: 22.30; till 10:30 p.m.**

505 Staz. Metro Anagnina - Via Anagnina - Via Caldopiano - Via Fosso S. Andrea - Vc. Anagnino - Via Anagnina - Staz. Metro Anagnina

506 V. L. Vanvitelli (Vermicino) - V. Tuscolana - V. Passolombardo - Vl. G. Della Volpe - Via di Tor Vergata - Via Casal Morena - Via Anagnina - Staz. Metro Anagnina

507 Grotte Celoni - V. Casilina - V. Tor Vergata - V. Tuscolana - Staz. Metro Anagnina.

508 Staz. P.te Mammolo - Vl. P. Togliatti - V. Prenestina - V. Avola - V. Roccalumera - V. Borghesiana - V. Polense - V.S. Elpidio a Mare - P. Mondavio (Corcolle) **fino alle ore: 22.30; till 10:30 p.m.**

541 Largo Preneste - Via Prenestina - Via Telese - L.go Irpinia - Viale Venezia Giulia - Via Collatina - Piazza C. De Cupis - Via Collatina - Via Birolli - V. Boglione

542 P. delle Camelie - P. S. Felice da Cantalice - V. dei Castani - P. dei Mirti - P. dei Gerani - Vl. e P. delle Gardenie - V.le della Primavera - V. Tor de' Schiavi - V. G. A. Andriulli - V. F. Fiorentini - V. dei Monti Tiburtini - L.go e V. Lanciani - P. D. Marucchi - V. G. Barracco - P. D. Gnoli - V.le XXI Aprile - P. Bologna (alcune corse feriali sono limitate al tratto V.le Pimavera - Ospedale Pertini e prolungate entro la zona "Casilino 23": Via Balzani - Via Ferraironi)

543 P.le d. Gardenie - Via Tor de' Schiavi - Via Bresadola - Via Parlatore - Via dei Castani - Via d. Gelsi - Vl. Togliatti - P.le Pascali - Via Campigli - Via Collatina - Via Staz. Tor Sapienza - Via della Rustica - L.go Corelli - Via Delia - Via Naide - Via Casale Caletto - Via Dameta - Via Vertunni (rit. V. Collatina - Via De Chirico - Via Carrà - Vl. Morandi - Via Campigli e prosegue come all'andata/*further on, it resumes the departure route*) **fino alle ore: 23.00; till 11:00 p.m.**

545 Staz. Tiburtina - Via di Portonaccio - P. S. Maria Consolatrice - L.go Preneste - Via Acqua Bullicante - Via R. Malatesta - L.go S. Luca Evangelista

546 Via Valcannuta - Via Gregorio XI - Via di Boccea - Via di Torrevecchia - Via Trionfale - P. S. Maria della Pietà - Via Di Mattei - Stazione F.S. San Filippo Neri

551 V. d. Vigne di Morena - Via Anagnina - Via Tuscolana - Staz. Metro Anagnina

552 P. Cinecittà - Via Q. Publicio - Via Scintu (rit. Via Torre Spaccata - Via Tuscolana) - Vl. Pelizzi - Via Torre Spaccata - Via Casilina - Viale Alessandrino - Via dei Meli - Via dei Platani - Piazza dei Mirti

553 Vl. Telese - Via Formia - Via Acqua Bullicante - Via Casilina - Via Filarete - Via degli Angeli - Piazza dei Tribuni. (Solo feriale/*Only on Workdays*) **orario: 7.30/19.30; time-table 7:30 a.m./7:30 p.m.**

554 Viale Alessandrino - Via dei Meli - Via dei Platani - P. dei Mirti - Via dei Castani - P. S.F. da Cantalice - V. delle Camelie - P. delle Camelie - V. degli Anemoni - Via A. Sebastiani - Vl. P. Togliatti (rit. Vl. Palmiro Togliatti - V. Casilina - V. Tor de' Schiavi - P. delle Camelie) - Vl. d. Romanisti - Vl. Torre Maura - V. d. Fosso di S. Maura

555 Viale Togliatti - Via dei Gelsi - Viale Primavera - Via Ferraironi - Via Balzani - Via Casilina - Via Tor de' Schiavi - Via Glicini - Viale Primavera - Via Bresadola - Via Prenestina - Viale Togliatti

556 Via W. Tobagi - Via Ruderi Casa Calda - Via Casa Calda - Via Tor Tre Teste - Via Viscogliosi - Via F. Tovaglieri - Via D. Campari - Via A. Stadorini - Via Prenestina - Viale Togliatti - Via dei Platani - P. d. Mirti - Via dei Castani - Viale delle Gardenie **fino alle ore: 23.30; till 11:30 p.m.**

557 P. G. Cardinali - V. degli Arvali - P. dei Tribuni - Via dei Consoli - Via Tuscolana - Via Opita Oppio - V. Cartagine - V. Selinunte - V. del Quadraro - V. Spartaco - V. Anicio Gallo - P. di Cinecittà - Vl. P. Togliatti - V. G. Chiovenda - P. Cavalieri del Lavoro

558   Vl. d. Gardenie - P. d. Gerani - V. d. Castani - V. Casilina - V. d. Centocelle - P. dei Consoli - V. Tuscolana - P. di Cinecittà - Vl. P. Togliatti - Vl. d. Romanisti (T. Spaccata) - Vl. di T. Maura - V. d. Fosso S. Maura **fino alle ore: 23.10; till 11:10 p.m.**

559   Piazza di Cinecittà - Viale P. Togliatti - Via G. Chiovenda - Viale B. Pelizzi - Viale B. Rizzieri - Viale A. Ciamarra (Cinecittà Est)

571   Via Eleniana - Porta Maggiore - S. Croce - S. Giovanni - Via Labicana - Colosseo - Fori Imperiali - Piazza Venezia - Via Plebiscito - Largo Argentina - C.so V. Emanuele II - Lgt. in Sassia - Porta Cavalleggeri - Via Gregorio VII

590   Vl. G. Cesare - V. Lepanto - P.le Flaminio - P. di Spagna - P. Barberini - P. della Repubblica - Staz. Termini - P. V. Emanuele II - Viale Emanuele Filiberto - Piazza San Giovanni - Piazza Re di Roma - Via Appia Nuova - Via Arco di Travertino - Via Tuscolana - Piazza Cinecittà. (Linea abilitata agli utenti disabili/*Line especially equipped for disabled people*) **orario: 6.00/22.30; time-table 6:00 a.m./10:30 p.m.**

628   P. C. Baronio - Via Platina - V. Macedonia - P. Zama - Via Satrico - Via Pannonia - P.ta Metronia - Via Druso - Via Terme di Caracalla - Circo Massimo - Via Petroselli - P. Venezia - V. Plebiscito - C.so Rinascimento - Lgt. Marzio (rit. Via Tomacelli - Via del Corso) - Lgt. Augusta - Lgt. d. Navi - Vl. Mazzini - V. Oslavia - P.le M.llo Giardino

630   L.go Somalia - P. Vescovio - P. Acilia - P. Verbano - V. Po - V. Boncompagni V. V. Veneto - V. del Tritone - P. Colonna - P. Venezia - Piazza Monte Savello Lgt. Cenci - P. Sonnino **orario: 7.00/21.30; time-table 7:00 a.m./9:30 p.m.**

649   Staz. Tiburtina - V. Bari - Vl. Policlinico - Vl. Castro Pretorio - Termini - V. Napoleone III P. V. Emanuele - V. S. Croce in Gerusalemme - P Re di Roma - L.go Don Orione

650   P.le S. Giovanni in Laterano - P.le Appio - Via Appia Nuova - Via delle Cave - Via Tuscolana - Viale Tito Labieno - Crv. Tuscolana - Piazza Cinecittà **orario: 9.00/19.00; time-table 9:00 a.m./7:00 p.m.**

654   Subaugusta (Metro) - Cinecittà (Metro) - V. Capannelle - V. Campo Farnia - Via Appia Nuova - V. Taurianova - V. Sinopoli - V. Appia Pignatelli - L. go Claudiani

657   V. dell'Arco di Travertino - V. Tuscolana - Porta Furba - Quadraro - Via dei Consoli - Via Calpurnio Fiamma - Via Marco Fulvio Nobiliore - Piazza Cavalieri del Lavoro

660   Largo dei Colli Albani - Via Appia Nuova - Via dell'Almone - Via Appia Pignatelli - Vic. d. Basilica - Via Appia Antica (rit. Via Cecilia Metella) **orario: 7.00/20.30; time-table 7:00 a.m./8:30 p.m.**

663   Largo dei Colli Albani - Via Appia Nuova - Via al Quarto Miglio - Via S. Tarcisio - Via Appia Pignatelli - Via Appia Nuova - Via S. Severina - Largo Cirò (Statuario)

664   Lg. Cosoleto - V. Calice - V. Capannelle - V. Appia Nuova - L.go dei Colli Albani

665   S. Giovanni - V. Laterani - V. Satrico - V. Macedonia - V. Cesare Baronio - V. Appia Nuova - Via Adria - Stazione Tuscolana

670   Viale Pincherle - Viale Marconi - Via Baldelli - Via Giustiniano Imp. - Via S.Nemesio - Via Ferrati - Circonvallazione Ostiense - Via Colombo - Viale Tor Marancia - Via Cerbara - Via Sartorio - Viale Caravaggio - Via Pico della Mirandola - Via B. Croce - Piazzale Caduti Montagnola

671   Arco di Travertino - Colli Albani - V. Appia Nuova - P. Re di Roma - V. Gallia - Piazzale N. Pompilio - Vl. Terme di Caracalla - V. C. Colombo - P.le Caravaggio - P.le Caduti Montagnola - V. Laurentina - V. Tre Fontane - V. C. Colombo - P.le P. Nervi

673   Piazza Zama - Piazza Tuscolo - V. Amba Aradam - V.d. Navicella - Via Claudia - Colosseo - Piazza Porta Capena - Piazza Albania - Piazzale Ostiense - Via Matteucci - Via Benzoni - Via Pullino - Via Passino - Via G. Rho (rit. V. De Nobili, V. Persico) **fino alle ore: 22.00; till 10:00 p.m.**

700   Stazione EUR Fermi - Vl. Umanesimo - Via Chianesi. (Solo feriale/*Only on workdays*) **orario: 7.00/18.00; time-table 7:00 a.m./6:00 p.m.**

701 L.go G. La Loggia - Vl. Sirtori - V. Portuense - Chiesa Parrocchiale P. Galeria V. Portuense - V. della Muratella - V. C. Sabbadino (Piana del Sole) **fino alle ore: 22.00; till 10:00 p.m.**

702 Stazione Laurentina - Via V. Murata - Via Ardeatina - Divino Amore - Via Porta Medaglia - Via Torre S. Anastasia. (Alcune corse sono deviate per/*Some trips are diverted to*: Via Fioranello)

703 Via Strampelli - Via Laurentina - Viale Umanesimo - Via Nairobi - Viale Arte - Viale Pittura (rit. Vl. Letteratura) - Vl. Civiltà del Lavoro - Pl. Agricoltura **orario: 6.30/22.00; time-table 6:30 a.m./10:00 p.m.**

704 Stazione Metro Laurentina - Via Laurentina - Via Acqua Acetosa Ostiense - Via Pontina - Viale Eroi di Rodi - Via Tartufari (Cast. di Decima) **orario: 6.30/24.00; time-table 6:30 a.m./12:00 p.m.**

705 Via G. Piermarini - Viale Caduti Guerra di Liberazione (rit. Vl. Caduti Resistenza) - Via Pontina - Via C. Colombo - P.le Nervi - Stazione EUR Fermi (rit. Vl. America - Vl. Boston - Vl. Europa - Via C. Colombo)

706 V. Rotellini - Vl. Caduti Guerra di Liberaz. (rit. Vl. Caduti Resistenza) - Via Pontina V. C. Colombo - Vl. Oceano Atlantico - V. Rhodesia - Vl. Arte - Vl. America

707 Basilica S. Paolo - L.go L. Da Vinci - Vl. Giustiniano Imp. - V. Alessandro Severo - Vl. Pico della Mirandola - P.le dei Caduti della Montagnola - V. Laurentina - Via Tre Fontane - Vl. Artigianato - Vl. dell' Arte - P.le dell'Umanesimo - V. Laurentina - Via di Trigoria - V. G. P. Talamini - P. V. Valgrisi **fino alle ore: 23.30; till 11:30 p.m.**

708 P.le Agricoltura - Viale Beethoven - Viale America - Viale Tecnica - Via Grande Muraglia Viale don Pietro Borghi - Piazza Quaranta - Via Gastaldi (Mostacciano) - Via Pontina - Viale Caduti Resistenza (rit. Vl. Caduti G. Liberazione) Via Maestrini - Via Versari (Casal Brunori)

709 EUR Fermi - V. C. Colombo - Via Acilia - V. Eschilo - Vl. Gorgia di Leontini - Via Casal Palocco - Vl. Alessandro Magno - L.go Esopo. (Alcune corse sono prolungate per/*Some trips are extended to*: Infernetto, P. Fonte d. Acilii; altre alla /others to: Tenuta di Cast. Porziano) **orario: 6.00/24.00; time-table 6:00 a.m./12:00 p.m.**

710 Via Lenin - L.go La Loggia - Vl. G. Sirtori - Vl. P. Colonna - P. Puricelli - Via G. Mengarini - V. Portuense - V. G. Folchi - Crv. Gianicolense - P.le E. Dunant - Vl. dei Quattro Venti - Vl. di Villa Pamphili - Via S. Pancrazio - Via Mercantini - Via G. Carini (rit. V. Regnoli - V. Bolognesi - Vl. Villa Pamphili)

711 Staz. F.S. Villa Bonelli - V. Magliana Nuova - Vc. Papa Leone - V. Imbrecciato - Viale G. Sirtori - V. V. Statella - V. P. Baffi - V. Magliana Nuova - Staz. F. S. Villa Bonelli

714 Staz. Termini - P. S. Maria Maggiore - V. Merulana - P. S. Giovanni in Laterano P. di Porta Metronia - Via Druso - Vl. Terme di Carcalla - Via Cristoforo Colombo - P. G. Marconi - P.le P.L. Nervi. (Alcune corse sono prolungate per/*Some trips are extended to*: Ospedale S. Eugenio)

715 P. S. D'Amico - P. Tiberio Imp. - Vl. Leon. da Vinci - V. Costantino - V. Macinghi Strozzi - V. Ferrati - V. Caffaro - Crv. Ostiense - V. C. Colombo - Vl. M. Polo - P. le Porta San Paolo - Vl. Piramide Cestia - P. Albania - V. S. Prisca - V. Terme Deciane - V. Circo Massimo - P. Bocca della Verità - V. del Teatro Marcello (Campidoglio)

716 Via Solario - Via Laurentina - Piazzale Caduti Montagnola - Piazzale Caravaggio - Viale Caravaggio - Via Giangiacomo - Via Cerbara - Via Annunziatella - Via Sette Chiese - Piazzale dei Navigatori - Via Genocchi - Viale G. Massaia - Circonvallazione Ostiense - Via P. Matteucci - Stazione Ostiense - Via Marmorata - Lungotevere Aventino - Via Teatro Marcello (Campidoglio)

719 Via della Magliana (alt. autorimesse ATAC) - Piazza Madonna di Pompei (Magliana) Via Magliana - Via d.Trullo - Via Monte Cucco - Via del Trullo - Parrocchietta - Via Portuense - Via G. Folchi - Circonvallazione Gianicolense - Stazione Trastevere - Ponte Testaccio - Via Galvani - Piramide - Piazzale dei Partigiani

761 Piazzale S. Paolo - Via Ostiense - Via Laurentina - Largo d. Cecchignola - Piazza dei Carabinieri (Alcune corse sono prolungate a/*some trips are extended to*: Prato Smeraldo)

762
Via T. Arcidiacono - Via S. Gradi - Via di Vigna Murata - Via Colle di Mezzo - Via G. Armellini - Via dei Corazzieri - Via Laurentina - Vl. dell'Aeronautica - Viale dell'Arte - Viale America - Viale Boston (rit. Vl. Shakespeare) - Viale Europa - Vl. Beethoven - Via Ciro il Grande - P.le dell'Agricoltura

763
P.le Agricoltura - Vl. Beethoven - Vl. Europa - Vl. Aeronautica - Via Laurentina Via d. Artificieri - V. Divisione Torino - V. d. Arditi - Vl. d. Esercito - Via dei Bersaglieri - Via A. Zanetta **fino alle ore: 22.00; till 10:00 p.m.**

764
P. le Agricoltura - Viale Beethoven - Viale Europa - Viale Aeronautica - Via Laurentina - Via P. G. Lais - Via d. Serafico - Via A. Baldovinetti - Via Paolo Di Dono - Vl. Tintoretto - Vl. E. Spalla - V. Grotta Perfetta - Vl. Londra

765
V. Arco di Travertino - V. Appia Nuova - V. dell'Almone - V. Appia Pignatelli - Via Annia Regilla - V. Erode Attico - V. Tor Carbone - V. Vigna Murata - Via Laurentina - P. le Douhet - Vl. Aeronautica - Vl. d.Arte - Vl. d. Pittura (rit. Viale d. Letteratura) - Vl. Civiltà del Lavoro - Via Ciro il Grande - P.le dell'Agricoltura

766
Piazzale F. Biondo (Staz. Trastevere) - Viale Marconi - Piazzale S. Paolo - Via Alessandro Severo - Via Grotta Perfetta - Via Tor Carbone (ex Dazio) - Via Ardeatina - Via A. Millevoi

767
P.le Agricoltura - V.le Beethoven - V.le Europa - V.le Arte - V. Tre Fontane - Via Tintoretto - Via Ascari - Via Grotta Perfetta - Viale Molière - Vico de la Barca - Via Londra. *(Alcune corse sono deviate per/ some trips are deviated to: V. Bianchini)* **fino alle ore: 22.00; till 10:00 p.m.**

768
Staz. Laurentina - V. Laurentina - V. Artificieri - V. Canzone del Piave - Via Divisione Torino - Via Ragazzi del 99 - Via Krekich - V. Bartoli - V. Ghetaldi - Via Gigante - Via Genieri - Via d. Arditi - Viale dell' Esercito - Via V. Pandolfo

769
P.le Ostiense - S. Paolo - Vl. Giustiniano Imp. - V. Alessandro Severo - Via Ambrosini - V. Grotta Perfetta - V. Molière - V. Calderon de la Barca - Viale Mosca - Viale Londra

770
Via Ostiense - Viale San Paolo - Via Calzecchi Onesti - Via Vasca Navale - Viale Pincherle

771
Vl. America - Vl. Europa - Vl. Tupini - Viale Val Fiorita - Viadotto Magliana - Via d. Magliana - Via del Trullo - Via Portuense - Via Fosso della Magliana - Rimessa ATAC Via Candoni - Viale del Castello della Magliana - Vl. C. Viola

772
Staz. Laurentina - Via Vigna Murata - Via A. Di Bonaiuto - Via S. Martini - Via Serafico - Vl. Tintoretto - V. Grezar - V. Ballarin - Via Serafico - Via S. Martini - V. A. Di Bonaiuto - V. Vigna Murata - V. Laurentina - V. I. Silone - V. Sapori - Via Laurentina - V. Boccabelli - V. Carucci - V. Laurentina - V. Sapori - V. Laurentina Staz. Laurentina **orario: 6.00/23.00; time-table 6:00 a.m./11:00 p.m.**

773
Staz. Trastevere - Crv. Gianicolense - V. G. Folchi - V. Portuense - Via delle Vigne V. di Generosa - V. Bosco degli Arvali **fino alle ore: 23.00; till 11:00 p.m.**

774
V. Montalcini - V. Fuggetta - L. Zambeccari - V. V. Statella - Vl. P. Colonna - V. P. Venturi - V. Portuense - V. Folchi - V. Ramazzini - Osp. San Camillo -.Crv. Gianicolense - Staz. Trastevere

776
Via V. Pandolfo - V. Tor Pagnotta - V. Laurentina - V. Céline - Via F.T. Marinetti Vl. C. Levi - Via I. Silone - Via Laurentina - Via Vigna Murata - Via. Gaurico - Stazione Laurentina

777
V. Canton - Beata Vergine del Carmelo - P.le Cina - Via Fiume Giallo - Viale Cina - Vl. Sabatini - Vl. Oceano Indiano - Vl. Primati Sportivi - Vl. Tupini - Viale America - Vl. Beethoven - P.le Agricoltura

778
P.le Agricoltura - Vl. Beethoven - Vl. America - Vl. Primati Sportivi - Vl. Oceano Indiano - V. Decima - V. Costellazioni - V. Jachino - V. I. Vivanti - P. Cina - V. Canton

779
Via E. Gadda - P. E. Montale - Via F.T. Marinetti - Via S. Sapori - Via I. Silone Via C. Govoni - Via C. Pavese - Vl. dell'Oceano Atlantico - Via Nairobi - Vl. dell'Arte - Vl. America - Viale Europa - Viale Beethoven - P.le dell' Agricoltura

780
P.le Nervi - Viale America - Staz. Eur Magliana - Viadotto Magliana - Ponte e Via della Magliana - Via Oderisi da Gubbio - Piazza della Radio - Staz. Trastevere - Viale Trastevere - Via Arenula - Via Botteghe Oscure - Piazza Venezia

781	Via d. Magliana (ang. V. Scarperia) - V. Oderisi da Gubbio - Piazza d. Radio - Stazione Trastevere - Via C. Porta - (rit. Via C. Pascarella) - Lgt. Testaccio - Lgt. Aventino - Via Petroselli - Piazza Venezia. (Solo feriale/*Only on workdays*)
785	Via Nazzani - Via Maroi - Via Mazzacurati - Via Sampieri - Via Casetta Mattei - Via Portuense - V. Imbrecciato - Vc. Papa Leone - Monte Cucco - Trullo - Magliana Stazione Villa Bonelli
786	Staz. Trastevere - Crv. Gianicolense - V. Ramazzini - V. Portuense - V. Casetta Mattei - V. Poggio Verde - V. Reduzzi (Corviale). (Alcune corse sono prolungate per/ *Some trips are extended to*: V. Bravetta - L.go Guidi)
791	Piazzale Nervi - Via C. Colombo - Viale Marconi - Via Francesco Grimaldi - Via Q. Majorana - Crv. Gianicolense - Via. Leone XIII - Via Gregorio VII - Piazza Villa Carpegna - Crv. Cornelia
797	Staz. Laurentina - Vl. Umanesimo - V. Tor Pagnotta - V. Laurentina - Via Castel di Leva - Lg. Doppler - V. Caccioppoli - V. Laurentina -Staz. Laurentina (rit. Via Amaldi - V. Maggi - V. De Finetti)
808	V. Portuense - V. P.te Galeria - P.te Malnome - V. d. Pisana (Uff. Regione) - Via d. Pisana - V. Bravetta - V. Capasso - V. Silvestri - Casaletto **fino alle ore: 22.15; till 10:15 p.m.**
810	P. Malatesta - (Stesso percorso linea **81** fino a/*Same route as line* **81** till) Piazza Venezia. (Solo feriale/*Only on workdays*) **orario: 6.30/19.30; time-table 6:30 a.m./7:30 p.m.**
850	P. S. Giovanni - (Stesso percorso linea **85** fino a /*Same route as line* **85** till) Piazza S. Silvestro. (Solo giorni feriali/*Only or workdays*) **orario: 7.00/20.30; time-table 7:00 a.m./8:30 p.m.**
870	Via Paola - P.te Principe Amedeo - Via del Gianicolo - Via Carini - Via Regnoli - Via Vitellia - Via Zambarelli - Crv. Gianicolense - Via Casaletto - Via Portuense (rit. Viale Newton - V. Ussani. (*Alcune corse sono deviate per/ Some trips are diverted to:* V. Girolami)
871	Piazza Flavio Biondo (Staz. Trastevere) - Crv. Gianicolense - Via Donna Olimpia - Via Fonteiana - Via F. Bonnet - Via Carini - Staz. Trastevere - Viale Villa Pamphili - Viale Quattro Venti - Crv. Gianicolense **orario: 6.30/22.00; time-table 6:30 a.m./10:00 p.m.**
881	Via della Pisana (alt. Via B. Avanzini) - Via di Bravetta - Via Aurelia Antica - Piazza di Villa Carpegna - Via Gregorio VII - Largo Porta Cavalleggeri - Via Paola
889	V. Capasso - V. Bravetta - V. Aurelia Antica - V. Torre Rossa - P. Villa Carpegna Piazza d. Giureconsulti - Via Boccea - Via Val Cannuta (A.S.L.) **orario: 6.00/23.00; time-table 6:00 a.m./11:00 p.m.**
892	Valle Aurelia - Via Baldo degli Ubaldi - P. di Villa Carpegna - V. di Torre Rossa V. Aurelia Antica - V. di Bravetta - V. della Pisana - V. S. Giovanni Eudes - Via Vignaccia - V. A. Libera - V. D'Aronco - V. A. Foschini - V. d. Vignaccia - V. degli Aldobrandeschi
904	Crv. Cornelia - Via Boccea - Via Selva Candida - Via Casorezzo - Via Zogno - Via Rezzato - L.go Bedeschi (*Alcune corse deviate per/Some trips diverted to: Piazza Ormea*)
905	Crv. Cornelia - Via di Boccea - Via di Casalotti - Via S. Seconda - Via della Cellulosa - Via di Boccea - V. di Casal Selce (alt. Via Epifanio) - Malagrotta
906	Staz. Metro Valle Aurelia - Via S. D' Amelio - L.go Boccea - Via Boccea - Via Acquafredda - Via Aurelia - G.R.A. - Via Casale Lumbroso
907	La Giustiniana (Via Bassano R.) - Via Cassia - Via Trionfale - Osp. S. Maria della Pietà - Via Trionfale - Vl. Medaglie d'Oro - V. V. Pisani - V. Angelo Emo - Metro Cipro
908	Via Quartaccio - Via Casal del Marmo - Via Vignale - Via Casal del Marmo - Via Pian del Marmo - Via Casteldelfino - Via Casal d. Marmo - Via Dronero - Via Orbassano - Via Quartaccio
909	Staz. Ipogeo degli Ottavi - Via Sperani - Via Panizzi - Via Casal del Marmo - Via Segrate - Via Palmarola - Via Casal del Marmo - Via Panizzi - Viale Sperani - Staz. Ipogeo Ottavi

910	Staz. Termini - Piazza della Repubblica - Via Pastrengo - Via Piemonte - Via Pinciana - Via Paisiello - Piazza Pitagora - Piazza Euclide - Via Maresciallo Pilsudski - Palazzetto dello Sport - Viale del Vignola - Viale Pinturicchio - Piazza Mancini
911	Piazza A. Mancini - Ponte Duca d'Aosta - Piazzale Ponte Milvio - Via Cassia - Via della Camilluccia - Via Trionfale - P. S. Maria d. Pietà - Stazione F.S. Monte Mario
912	Staz. Monte Mario - V. Trionfale - V. V. Troya - P. N. S. di Guadalupe - V. Cherubini - V. Vegio - V. Gattorno - V. Benedettine - V. Mauri - V. Conti - V. Chiarugi - Staz. Monte Mario
913	Stazione Monte Mario - Via Trionfale - VI. Medaglie d'Oro - P.le d. Eroi - Viale d. Milizie - Via M. Colonna - P. Cavour - P.te Cavour - P. Augusto Imperatore
916	Piazza Venezia - Largo Torre Argentina - Corso Vittorio Emanuele - Porta Cavalleggeri - Via Gregorio VII - Circonvallazione Cornelia - Via Boccea - Via Pasquale II - Via Bembo - Via Numai - Via Torrevecchia - Via Andersen
926	L.go I. Pizzetti - P. Pitagora - Belle Arti - P.te Matteotti - P.le Flaminio - V. Ripetta - Piazza Augusto Imperatore - V. Tomacelli - P. Cavour **fino alle ore: 23.15; till 10:00 p.m.**
980	Circonvallazione Cornelia - Via di Boccea - Via E. Bonifazi - Via M. Battistini - Via Cornelia - Via E. Bondi - Via A. Pane
981	Circonvallazione Cornelia - Via di Boccea - Via Cornelia - Via Aurelia - G.R.A. Via della Pisana - Via Fosso della Magliana - Via della Magliana - Rimessa Magliana
981L	Circonvallazione Cornelia - Via di Boccea - Via Cornelia (Monte Spaccato)
982	P.za Risorgimento - V. Vitelleschi - Ponte Vittorio Eman. - P.za Della Rovere - Porta Cavalleggeri - Via Gregorio VII - Via S. Damaso - Via N. Piccolomini
983	Crv. Cornelia - V. Battistini - V. Boccea - V. Cornelia - V. Tornabuoni - V. Guidiccioni
985	Crv. Cornelia - V. Boccea - V. Cornelia - V. Aurelia - Stazione Aurelia
987	P. Capecelatro - V. Gasparri - V. Torrevecchia - V. Valle dei Fontanili - V. Andersen - V. del Quartaccio - V. del Podere S. Giusto - V. del Podere C. Battisti - V. Testa
990	Via Pieve di Cadore - Via M. Fani - Via Trionfale - Via Massimi - Via Balduina - Via De Carolis - Via Lattanzio - P. Giovenale - VI. Medaglie d'Oro - P.le d. Eroi - Via Candia - P. Risorgimento - Via Crescenzio - P. Cavour
991	Viale Giulio Cesare - Via Leone IV - Via A. Doria - Viale Medaglie d'Oro - Via Trionfale - Piazza Santa Maria della Pietà - Via G. Barellai **fino alle ore: 22.00; till 10:00 p.m.**
992	Staz. Ipogeo Ottavi - Via C. Fiori - Via Lucchina - V. Casal del Marmo (civ. 401)
994	Via dei Monfortani - Via Pineta Sacchetti (alt. Policlinico Gemelli) - Largo Boccea - P. Irnerio - Via Baldo degli Ubaldi - Stazione Metro Valle Aurelia **fino alle ore: 22.00; till 10:00 p.m.**
995	Via Barellai (osp. San Filippo Neri) - Piazza Santa Maria della Pietà - Via S. Vinci - Via Taggia - Via Cogoleto - Via Battistini (alt. Via Boccea)
997	Via A. Friggeri - Via D. Chiesa - Via Pineta Sacchetti - Via Mattia Battistini (Metro) - Via Monti Primavalle - Piazza Clemente XI - Piazza Capecelatro - Via Torrevecchia - Via Trionfale - Via Casal del Marmo - Via Stazione Ottavia Via Ipogeo degli Ottavi - Viale Sperani - Via Lucchina - Via Tarsia
998	Via Suor C. Donati - Via M. Battistini (Metro) - Via Monti di Primavalle - Piazza Clemente XI - Piazza Capecelatro - Via Torrevecchia - Via Trionfale - Via Casal del Marmo - Via Palmarola - Via Casorezzo - Via Cogliate - Via Bereguardo - Via Rezzato - Via Riserva Grande - Via Cusino - Via Gaverina
999	Via Igea - Via Trionfale - Viale Medaglie d'Oro - P.le degli Eroi - Via A. Doria - Largo Trionfale - Viale delle Milizie - Via Dalla Chiesa - Viale Giulio Cesare **fino alle ore: 22.00; till 10:00 p.m.**

VOLI PANORAMICI
CITY FLIES

Un modo originale di visitare Roma ed ammirarne i luoghi più suggestivi.

An original way to visit Rome: flying over the city to admire its most evocative sites.

BIGLIETTO/TICKET: € 70,00. INFO/RESERVATIONS: TEL. 06.88.333

SITO INTERNET/WEBSITE: www.cityfly.com

ARCHEOBUS
Piazza Venezia tutti i giorni dalle10.00 alle 17.00
Piazza Venezia every day from 10:00 a.m. to 5:00 p.m.
Biglietto Stop and go € 7.75 - Stop and go Ticket € 7.75
Informazioni / Information: tel. 06.46.95.23.43

ALTRE LINEE SPECIALI ELETTRICHE O TRAM CHE TRANSITANO PER ZONE TURISTICHE:
OTHER SPECIAL ELECTRIC OR TRAM LINES TRAVELLING THROUGH TOURIST AREA:
2 tram - 3 tram - 8 tram - 19 tram - 116 - 116T - 117 - 119 **(vedi da pag. 30 a 43)**

BATTELLI DI ROMA
RIVER BOATS OF ROME

SERVIZIO DI NAVIGAZIONE SUL TEVERE ATTIVO TUTTO L'ANNO CHE PERMETTE DI MUOVERSI NELLA CITTÀ E DI AMMIRARLA DA UNA DIVERSA PROSPETTIVA.
River navigation service on the Tevere. It is available all year long and it allows to visit the city and to admire it under a different prospective.

TRASPORTO URBANO/URBAN TRANSPORTATION
Fermate negli scali di/*Stops at:* **Ponte Duca d'Aosta, Ponte Risorgimento, Ponte Cavour, Ponte Sant'Angelo, Ponte Sisto, Isola Tiberina, Ponte Marconi. ORARIO: 7.00 - 19.00. PASSAGGIO DEI BATTELLI: ogni 55 minuti. Il BIGLIETTO (€ 1,00) si può acquistare sul battello o nei centri di informazione turistica.** *TIME-TABLE: 7:00 a.m.- 7:00 p.m.. BOATS PASS every 55 minutes. TICKETS (€ 1,00) available on board or in the Tourist Information Centers.*

CROCIERA TURISTICA COMMENTATA/TOURIST (multilingual) GUIDED CRUISE
(guide plurilingue) - Partenze e ritorno/*Departure and return:* **Ponte Sant'Angelo. ORARIO: 4 partenze giornaliere alle 10.00 - 11.30 - 15.30 – 17.00. IMBARCO 10 minuti prima della partenza. DURATA: 1 ora e 15 minuti. BIGLIETTO: € 10,00. Si consiglia la prenotazione.** *TIME-TABLE: 4 departures a day at 10:00 a.m., 11:30 a.m., 3:30 p.m., and 5:00 p.m.. BOARDING TIME: 10 minutes before leaving. THE TRIP LASTS 1 hour and 15 minutes. TICKET € 10,00. Reservation recommended.*

CROCIERA CON CENA A BORDO/CRUISE WITH DINNER ABOARD
Partenze e ritorno /*Departure and return:* **Ponte Sant'Angelo. ORARIO: ogni sera alle 19.30. IMBARCO 15 minuti prima della partenza. DURATA: 2 ore e 30 minuti. BIGLIETTO: € 43,00. Prenotazione obbligatoria.** *TIME-TABLE: every night at 7:30. BOARDING TIME: 15 minutes before leaving. THE TRIP LASTS 2 hours and 30 minutes. TICKET € 43,00 (drinks excluded). Reservation required*

PRENOTAZIONI E INFORMAZIONI
RESERVATIONS AND INFORMATION
tel. 06.67.89.361 - Sito internet: www.battellidiroma.it.

PARCHEGGI DI SCAMBIO
Connecting car parking lots for commuters
dal lunedì al sabato dalle 6.00 alle 22.00
from Monday to Saturday from 6:00 a.m. to 10:00 p.m.
€ 0,77 (per le prime 10 ore consecutive - for the first consecutive 10 hours)
€ 1,55 (fino a 16 ore consecutive - up to 16 consecutive hours)
GRATUITI PER POSSESSORI DI ABBONAMENTI METREBUS
FREE FOR METREBUS SUBSCRIBERS

PARCHEGGI DI SCAMBIO (VIGILATI)
Connecting car parking lots for commuters (watched)

DENOMINAZIONE NAME	COLLEGAMENTO LINK	VIE D'ACCESSO ACCESS ROUTES	POSTI AUTO PARKING SPACES
(°)CORNELIA	METRO LINEA A	CIRC.NE CORNELIA	640
ANAGNINA	METRO LINEA A	V. TUSCOLANA	422 (+10)
ANAGNINA (Ost. del Curato)	METRO LINEA A	V. GIUDICE	1450 (+30)
CINECITTA'	METRO LINEA A	V. TUSCOLANA	426 (+10)
ARCO TRAVERT.	METRO LINEA A	V. CARROCETO	403 (+9)
ANGELO EMO	METRO LINEA A	V. G. DI BARTOLO	122 (+4)
MATTIA BATTISTINI	METRO LINEA A	V. LUCIO II	168 (+8)
CIPRO	METRO LINEA A	V. A. EMO	277 (+5)
OSTIENSE	METRO LINEA B	V. OSTIENSE	153
LAURENTINA	METRO LINEA B	V. DE SUPPE'	1241 (+27)
MAGLIANA	METRO LINEA B e FERR. RM-OSTIA	VL. VAL FIORITA	942 (+20)
REBIBBIA	METRO LINEA B	V. CASAL DE' PAZZI	321 (+7)
TIBURTINA	METRO LINEA B	V. P. L'EREMITA	124 (+3)
P.TE MAMMOLO 1	METRO LINEA B	V. DELLE MESSI D'ORO	1276 (+26)
P.TE MAMMOLO 2	METRO LINEA B	VL. P. TOGLIATTI	260 (+10)
P. TOGLIATTI	METRO LINEA B	VL. P. TOGLIATTI	475
S. M. SOCCORSO	METRO LINEA B	V. TIBURTINA	550 (+6)
GROTTE CELONI	FERR. RM PANTANO	V. CASILINA KM.15	524 (+9)
TOR DI VALLE	FERR. RM-OSTIA	P. TARANTELLI	313 (+15)
SAXA RUBRA 1/2	FERR. RM NORD	V. M. BARENDSON	491 (+13)
(*)LA CELSA	FERR. RM NORD	V. FLAMINIA	120 (+4)
LABARO	FERR. RM NORD	V. FLAMINIA	204 (+4)
VILLA BONELLI	FERR. FM1	V. MAGLIANA NUOVA	221 (+5)
NOMENTANA	FERR. FM1	V. VAL D'AOSTA	177 (+4)
NUOVO SALARIO	FERR. FM1	V. SERPENTARA	222
OSTIENSE	FERR. FM1	V. OSTIENSE	153
LA GIUSTINIANA	FERR. FM3	V. BASSANO ROMANO	244 (+5)
LA STORTA	FERR. FM3	VIA DELLA STORTA	478 (+12)
STAZ. S. PIETRO	FERR. FM5	V. STAZ. S. PIETRO	141 (+3)
ELIO RUFINO	LINEE BUS ATAC	P. ELIO RUFINO	275 (+6)

(+) POSTI AUTO DISABILI/ SPACES FOR DISABLED PEOPLE
(°) IMPIANTO AUTOMATIZZATO/ AUTOMATED FACILITY
(*) PARCHEGGIO NON VIGILATO/ UNSUPERVISED PARKING
IL PAGAMENTO PUÒ ESSERE EFFETTUATO MEDIANTE I PARCOMETRI INSTALLATI SULL'AREA
PAYEMENT CAN BE MADE USING THE PARKING METERS INSTALLED IN THE AREA

Useful information for tourists - Informations utiles pour
les touristes - Nützliche Auskünfte für Touristen -
Informaciones utiles para el turista - Informacje

Alberghi

Hotels - Hôtels -
Hoteles - Hotele

ADRIATIC, Via Vitelleschi, 25	06.68.69.668
ALDROVANDI, Via Aldrovandi, 15	06.32.23.993
AMALFI, Via Merulana, 278	06.47.40.477
AMBASCIATORI PALACE, Via Vittorio Veneto, 62	06.47.493
AMERICAN PALACE EUR, Via Laurentina, 554	06.59.13.552
ANGLO-AMERICANO, Via Quattro Fontane, 12	06.47.29.41
ARISTON, Via Turati, 16	06.44.65.399
ATLANTE GARDEN, Via Crescenzio, 78/a	06.68.72.361
ATLANTE STAR, Via G. Vitelleschi, 34	06.68.73.233
BAROCCO, Via della Purificazione, 4	06.48.72.001
BERNINI-BRISTOL, Piazza Barberini, 23	06.48.83.051
BEVERLY-HILLS, Largo B. Marcello, 220	06.85.59.893
BORROMINI, Via Lisbona, 7	06.84.17.550
CAMBRIDGE, Via Palestro, 87	06.44.56.821
CANADA-BEST WESTERN, Via Vicenza, 58	06.44.57.770
CARAVEL, Via Cristoforo Colombo, 124	06.51.15.046
CAVOUR, Via Cavour, 47	06.47.41.806
CELIO, Via SS. Quattro, 35	06.70.49.53.33
CENTRAL PARK, Via Moscati, 7	06.35.57.41
CICERONE, Via Cicerone, 55/c	06.35.761
CLODIO, Via Santa Lucia, 10	06.37.21.122
COLUMBUS, Via della Conciliazione, 33	06.68.65.435
CONSUL, Via Aurelia, 727	06.66.41.80.51
CROWNE PLAZA ROME ST. PETER'S, Via Aurelia Antica, 415	06.66.42
DEI BORGOGNONI, Via Del Bufalo, 126	06.69.94.15.05
DE LA VILLE, Via Sistina, 67	06.67.331
DELLE MUSE, Via Salvini, 18	06.80.88.333
DELLE NAZIONI, Via Poli, 7	06.67.92.441
DIANA, Via Principe Amedeo, 4	06.48.27.541
EDEN, Via Ludovisi, 49	06.47.81.21
ELISEO, Via di Porta Pinciana, 30	06.48.70.456

ERGIFE, Via Aurelia, 619	06.66.440
EXCELSIOR, Via Vittorio Veneto, 125	06,47.081
EXECUTIVE, Via Aniene, 3	06.85.52.030
FARNESE, Via A. Farnese, 30	06.32.12.553
FLORA, Via Vittorio Veneto, 193	06.48.99.29
FORUM, Via Tor de' Conti, 25	06.67.92.446
FOUR POINT SHERATON, Via Eroi di Cefalonia	06.50.83.41.11
GAMBRINUS, Via Piave, 29	06.48.71.250
GERBER, Via degli Scipioni, 241	06.32.21.001
GRAND HOTEL DELLA MINERVA, Piazza della Minerva, 69	06.69.52.01
HASSLER, Piazza Trinità de' Monti, 6	06.69.93.40
HILTON, Via A. Cadlolo, 101	06.35.091
HILTON FIUMICINO, Via A. Ferrarin, 2	06.65.25.66.36
HOLIDAY INN PARCO dei MEDICI, V.le Castello della Magliana, 65	06.65.581
HOLIDAY INN ROME-WEST, Via Aurelia, km 8,400	06.66.41.12.00
IMPERATOR, Via Aurelia, 619	06.66.41.80.41
IMPERIALE, Via Vittorio Veneto, 24	06.48.26.351
IVANHOE, Via de' Ciancaleoni, 49	06.48.68.13
JOLLY-VILLA CARPEGNA, Via Pio IV, 6	06.39.37.31
JOLLY-VITTORIO VENETO, Corso Italia, 1	06.84.95
KING, Via Sistina, 131	06.48.80.878
LA RESIDENZA, Via Emilia, 22	06.48.80.789
LONDRA E CARGILL, Piazza Sallustio, 18	06.47.38.71
LORD BYRON, Via G. De Notaris, 5	06.32.20.404
MAJESTIC, Via Vittorio Veneto, 50	06.42.14.41
MARC'AURELIO, Via Gregorio XI, 141	06.66.37.630
MARCELLA ROYAL, Via Flavia, 106	06.42.01.45.91
MASSIMO D'AZEGLIO, Via Cavour, 18	06.48.70.270
MEDITERRANEO, Via Cavour, 15	06.48.84.051
MELIA, Via degli Aldobrandeschi, 223	06.66..41.55.82
MICHELANGELO, Via della Stazione di S. Pietro, 14	06.39.87.31
MILANI, Via Magenta, 12	06.44.57.051
MIDAS-JOLLY, Via Aurelia, 800	06.66.396
MONTEVERDE, Via Monteverde, 86	06.58.23.00.00
MONTREAL, Via Carlo Alberto, 4	06.44.57.797
NAPOLEON, Piazza Vittorio Emanuele II, 105	06.44.67.264
NAZIONALE, Piazza Montecitorio, 131	06.69.50.01
OLYMPIC, Via Properzio, 2/a	06.68.96.650
OXFORD, Via Boncompagni, 89	06.42.01.27.44
PALATINO, Via Cavour, 213	06.48.14.927
PARCO DEI PRINCIPI, Via Mercadante, 15	06.85.44.21
PICCADILLY, Via Magna Grecia, 122	06.70.47.48.58

PINETA PALACE, Via S. Lino Papa, 35 — 06.30.16.851
PINEWOOD, Via Pineta Sacchetti, 43 — 06.66.36.546
PISANA PALACE, Via della Pisana, 374 — 06.66.69.01
PLAZA, Via del Corso, 126 — 06.67.495
PORTAMAGGIORE, Piazza Porta Maggiore, 25 — 06.70.27.927
PRESIDENT, Via Emanuele Filiberto, 173 — 06.77.01.21
PRINCESS, Via Andrea Ferrara, 33 — 06.66.49.31
QUIRINALE, Via Nazionale, 7 — 06.47.07
RAPHAEL, Largo Febo 2 — 06.68.28.31
REGENCY, Via Romagna, 42 — 06.48.19.281
REGINA-BAGLIONI, Via Vittorio Veneto, 72 — 06.42.11.11
RINASCIMENTO, Via del Pellegrino, 122 — 06.68.74.813
ROMA PARK, Via della Caffarelletta, 41 — 06.78.35.95.52
ROYAL SANTINA, Via Marsala, 22 — 06.44.87.51
SAN MARCO, Via Villafranca, 1 — 06.49.05.94
SAVOY, Via Ludovisi, 15 — 06.42.15.51
SHERATON ROMA, Viale del Pattinaggio, 100 — 06.54.531
SHERATON GOLF, Viale Parco dei Medici, 167 — 06.65.85.88
SUMMIT, Via della Stazione Aurelia, 99 — 06.66.41.80.27
TIZIANO, Corso Vittorio Emanuele II, 110 — 06.68.65.019
TREVI, Vicolo del Babuccio, 21 — 06.67.89.563
UNIVERSO, Via Principe Amedeo, 5/b — 06.47.68.11
VALADIER, Via Fontanella, 15 — 06.36.11.998
VILLA PAMPHILI, Via Nocetta, 105 — 06.66.021
VISCONTI PALACE, Via Cesi, 37 — 06.36.84
YORK, Via Cavriglia, 26 — 06.81.02.222

Ristoranti

Restaurants - Restaurantes
Restauracje

AGATA E ROMEO, Via C. Alberto, 45 (closed on Sundays) — 06.44.66.115
ALBERTO CIARLA, Piazza S. Cosimato, 40 (closed on Sundays) — 06.58.18.668
ANDREA, Via Sardegna, 28 (closed on Sundays) — 06.48.21.891
ANGELINO AI FORI, Largo C. Ricci, 40 (closed on Tuesdays) — 06.67.91.121
ANTICO FALCONE, Via Trionfale, 60 (closed on Tuesdays) — 06.39.74.33.85
ARLU', Borgo Pio, 135 (closed on Sundays) — 06.68.68.936
ATM SUSHI BAR, Via della Penitenza, 7 (closed on Sundays) — 06.68.30.70.53
AUGUSTO, Piazza dei Renzi, 15 (closed on Sundays) — 06.58.03.798
BOLOGNESE (Dal), Piazza del Popolo, 1 (closed on Mondays) — 06.36.11.426
BOCCONDIVINO, Piazza Campo Marzio, 6 (closed on Sundays) — 06.68.30.86.26/3
CAMPONESCHI, Piazza Farnese, 50 (closed on Sundays) — 06.68.74.927

CANTINA CANTARINI, Piazza Sallustio, 12 (closed on Sundays)	06.48.55.28
CHARLY'S SAUCIÈRE, Via S. G. in Laterano, 270 (closed on Sundays)	06.70.49.56.66
CHECCO ER CARRETTIERE, Via Benedetta, 10 (closed on Mondays)	06.58.17.018
COLLINE EMILIANE, Via degli Avignonesi, 22 (closed on Fridays)	06.48.17.538
COLONNATO (Il), Piazza S. Uffizio, 8 (open every day)	06.68.65.371
CUL DE SAC, Piazza Pasquino, 73 (closed on Mondays)	06.68.80.10.94
DUE LADRONI, Piazza Nicosia, 24 (open every day)	06.68.61.013
EAU VIVE (L'), Via Monterone, 85 (closed on Sundays)	06.68.80.10.95
ETOILES (Les), Via Vitelleschi, 34(open every day)	06.68.93.434
EVANGELISTA, Via delle Zoccolette, 11 (closed on Sundays)	06.68.75.810
FALCHETTO, Via Montecatini, 12 (closed on Fridays)	06.67.91.160
FORTUNATO, Via del Pantheon, 55 (closed on Sundays)	06.67.92.788
GEMMA ALLA LUPA, Via Marghera, 39 (closed on Sundays)	06.49.12.30
GEORGE'S, Via Marche, 7 (closed on Sundays)	06.42.08.45.75
GIOVANNI, Via Marche, 64 (closed on Sundays)	06.48.21.834
LA PERGOLA (Hotel Hilton), Via Alberto Cadlolo, 101 (closed on Sundays)	06.35.091
LUCIA (Da), Vicolo del Mattonato, 2/b (closed on Mondays)	06.58.03.601
MICHELE, Via Merulana, 236 (closed on Tuesdays)	06.48.72.672
OSTERIA PICCHIONI, Via del Boschetto, 16 (closed on Wednesdays)	06.48.85.261
OTELLO, Via della Croce, 81 (closed on Sundays)	06.67.91.178
PAPÀ BACCUS, Via Toscana, 36 (closed on Sundays)	06.42.74.28.08
PORTO DI RIPETTA, Via di Ripetta, 250 (closed on Sundays)	06.36.12.376
QUADRIFOGLIO, Via del Boschetto, 19 (closed on Sundays)	06.48.26.096
REGNO DI RE FERDINANDO (Al) , V. di Affogalasino, 123 (closed on Sundays)	06.65.74.73.66
ROMOLO, Via Porta Settimiana, 8 (closed on Mondays)	06.58.18.284
SANS SOUCIS, Via Sicilia, 20 (closed on Mondays)	06.42.01.45.10
SEVERINO A PIAZZA ZAMA, Piazza Zama, 5 (closed on Mondays)	06.70.00.872
SORA LELLA, Via di Ponte Quattro Capi, 16 (closed on Sundays)	06.68.61.601
TAVERNA GIULIA, Vicolo dell'Oro, 23 (closed on Sundays)	06.68.69.768
TOSCANO (Dal), Via Germanico, 58/60 (closed on Mondays)	06.39.72.57.17
TOULÀ (El), Via della Lupa, 29 (closed on Sundays)	06.68.73.750
34 (Al), Via Mario de' Fiori, 34 (closed on Mondays)	06.67.95.091
VECCHIA ROMA, Piazza Campitelli, 18 (closed on Wednesdays)	06.68.64.604

 MAC DONALD'S A ROMA

Via Appia Nuova, 118	06.70.09.072
Via Tiburtina, 515	06.43.59.91.42
Via Ardeatina G.R.A. km. 49,400	06.71.35.50.52
,Autostrada Roma-Fiumicino km 5,600	06.65.90.560
Viale America, 270	06.59.16.831

Corso Francia, 80	06.33.37.527
Via Prati Fiscali, 73	06.81.08.996
Piazza Annibaliano, 8	06.86.20.68.92
Via Firenze, 58	06.48.19.758
Via Trionfale, 8000	06.35.50.70.82
Via Golametto, 4	06.39.72.11.92
Corso Vittorio Emanuele II, 135	06.68.92.412
Via Marsala, 25	06.48.28.985
Largo Colli Albani, 15	06.78.35.93.88
Via Cola di Rienzo, 156	06.68.74.225
Centro Commerciale La Romanina - Via E. Ferri, 11/13	06.72.33.608
Centro Commerciale Cinecittà Due - Via Togliatti, 2	06.72.21.172
Piazza Pio XI, 90	06.63.85.832
Via Barberini, 2	06.48.71.257
Centro Commerciale I Granai - Via Rigamonti, 100	06.51.96.09.10
Piazza della Rotonda 14	06.68.75.643
Circonvallazione Nomentana	06.44.25.02.46
Piazza De La Salle, 6	06.66.01.71.65
Via Tuscolana, 829	06.76.96.76.14
Viale Europa, 99	06.59.11.240

Shopping

Abbigliamento - Clothing -
Habillement - Bekleidung -
Ropa - Odzież

BASSETTI BROTHERS COMPENDIUM
Viale Parioli, 122   06.80.83.680
🚍 53, 217
BATTISTONI Via Condotti, 61/a   06.69.76.111
Ⓜ A (Spagna) 🚍 117, 119
BENETTON Piazza di Trevi, 91   06.69.19.09.19
🚍 52, 53, 61, 62, 63, 71, 80, 81, 117, 190, 492, 850
BRIGHENTI Via Frattina, 8/10   06.67.91.484
Ⓜ A (Spagna) 🚍 117
CERRUTI Via Cola di Rienzo, 46   06.32.16.793
Ⓜ A (Ottaviano) 🚍 81
CLERKS Via Sora, 33   06.68.71.268
🚍 46, 62, 64
DAVID SADDLER Via del Corso, 103   06.67.86.569
🚍 62, 63, 81, 85, 95, 117, 492
DAVIDE CENCI Via di Campo Marzio, 1/7   06.69.90.681
🚍 30, 70, 81, 87, 116

DEMOISELLE Via Frattina, 93   06.67.93.752
Ⓜ A (Spagna) 🚌 117, 119
ENERGIE Via del Corso, 486   06.32.27.046
🚌 81, 117, 119, 492, 628, 913
FENDI Via Borgognona, 39   06.67.97.641
Ⓜ A (Spagna) 🚌 117
FIORUCCI Via Mario de Fiori, 54   06.67.92.946
Ⓜ A (Spagna) 🚌 81, 117, 119, 628
GRUPPO CLARK Via del Corso, 2   06.36.10.501
Ⓜ A (Spagna) 🚌 81, 117, 119, 492, 628, 913
GUCCI Via Condotti, 8   06.67.89.340
Ⓜ A (Spagna) 🚌 117
LAURA BIAGIOTTI Via Borgognona, 43/44   06.67.91.205
Ⓜ A (Spagna) 🚌 117, 119
LAURA GIORDANO Via Gesù e Maria, 19   06.32.12.571
🚌 117, 119, 628, 926
L'UNA E L'ALTRA Via del Governo Vecchio, 105   06.68.80.49.95
🚌 46, 62, 64
PALAZZO ALTIERI Via degli Astalli, 19   06.67.95.288
🚌 30, 40, 46, 62, 63, 64, 70, 81, 87, 492, 628, 630
PIATTELLI Via Vittorio Veneto, 88   06.47.41.395
🚌 52, 53, 63, 80, 95, 116, 119, 630
PRADA Via Condotti, 92   06.67.80.284
Ⓜ A (Spagna) 🚌 117, 119
RE MIX Via del Corso, 76   06.36.12.394
🚌 81, 117, 119, 492, 628, 913
REPLAY Via della Rotonda, 25   06.68.33.073
Ⓜ A (Spagna) 🚌 116
ROBERTO CAPUCCI Via Gregoriana, 56   06.67.95.180
Ⓜ A (Spagna) 🚌 52, 53, 61, 62, 80, 95, 116, 492
SARLI Via Gregoriana, 41/44   06.67.80.465
Ⓜ A (Spagna) 🚌 52, 53, 61, 62, 80, 95, 116, 492
SCHOSTAL Via del Corso, 158   06.67.91.240
🚌 81, 117, 119, 492, 628
SORELLE FONTANA
Via S. Sebastianello, 4/5/6   06.68.13.54.06
Ⓜ A (Spagna) 🚌 117, 119
TESTA Via Frattina, 104   06.67.91.296
Ⓜ A (Spagna) 🚌 117
TIMBERLAND Via dei Colli Portuensi, 411   06.65.79.34.21
🚌 31, 870

Antiquariato e artigianato - Antiques and crafts - Commerce des antiquités
et artisanat - Antiquariat und Kunsthandwerk - Antiguedades y Artesanía -
Antykwariaty i Rzemiosło

ACQUAVETRO Via degli Equi, 26   06.44.70.09.51
🚌 71
ANTIQUA DOMUS Via dei Coronari, 39/43   06.68.61.186
🚌 30, 70, 81, 116, 628
ATELIER DE L'HOROLOGERIE Piazza del Parlamento, 9   06.68.71.358
🚌 81, 116, 117, 119, 492, 628
CARE VECCHIE COSE Via della Lungara, 44 a   06.68.93.662
Tram 8 🚌 23, 280
DAL PAPA RE Via P. Castaldi, 16/18   06.58.83.138
Tram 8 🚌 170, 719, 780, 781
DI CASTRO Via del Babuino, Via Margutta   06.32.07.650
Ⓜ A (Spagna) 🚌 117, 119
GHERARDO NOCE BENIGNI OLIVIERI Via della Scrofa, 20   06.68.61.837
🚌 30, 70, 81, 87, 116, 492, 628
LA GROTTA DEL LUME Via Enrico Fermi, 58   06.55.84.946
🚌 170, 766, 791
LE TROC Via dei Greci, 38   06.32.21.448
Ⓜ 🚌 117, 119, 628, 926
MANASSE Via Campo Marzio, 44   06.68.71.007
🚌 70, 81, 87, 116, 117, 119, 492, 628, 630
PIERANGELI Via dei Greci, 13/14   06.36.11.231
🚌 117, 119, 628, 926
STILVETRO Via Frattina, 56   06.67.90.258
Ⓜ A (Spagna) 🚌 117
TORTORI ANTICHITA' Via Margutta, 34   06.32.15.181
Ⓜ A (Spagna) 🚌 117, 119 Tram: 8

Gioielli - Jewels - Bijoux - Schmuck - Joyas - Sklepy jubilerskie

BUCCELLATI Via Condotti, 31   06.67.90.329
Ⓜ A (Spagna) 🚌 117, 119
BULGARI Via Condotti, 10   06.69.62.61
Ⓜ A (Spagna) 🚌 117, 119
GIANSANTI Via del Babuino, 47   06.32.34.460
Ⓜ A (Spagna) 🚌 117, 119
HAUSMAN Via del Corso, 406   06.68.93.217
🚌 70, 81, 87, 116, 117, 119, 492, 628, 630

MANASSE Via di Campo Marzio, 44   06.68.71.007
🚌 70, 81, 87, 116, 117, 119, 492, 628, 630
MASSONI Largo Goldoni, 48   06.67.90.182
🚌 70, 81, 87, 116, 117, 119, 492, 628, 913
MENICHINI Piazza di Spagna, 1   06.67.91.403
Ⓜ A (Spagna) 🚌 117, 119
MONDELLO Via Montanara, 1   06.67.98.196
🚌 44, 63, 81, 95, 160, 170, 628, 630
OUROBOS Via S. Eustachio, 15   06.68.80.45.84
🚌 30, 70, 81, 87, 116, 492, 628
PASQUALI Piazza S. Lorenzo in Lucina,19   06.68.71.585
🚌 30, 70, 81, 87, 116, 117, 119, 492, 628
PERCOSSI-PAPI Piazza S. Eustachio, 16   06.68.80.14.66
🚌 30, 70, 81, 87, 116, 492, 628
RAGGI Via Cola di Rienzo, 25/a   06.68.96.601
Ⓜ A (Ottaviano) 🚌 81
ZENDRINI Via Borgognona, 41   06.67.90.209
Ⓜ A (Spagna) 🚌 117, 119

**Borse e valigie - Handbags and suitcases - Sacs à main et valises
Taschen und Koffer - Bolsos y maletas - Torby i walizki**

CUOIO CUCITO A MANO Via S. Ignazio, 38   06.67.95.119
🚌 62, 81, 85, 95, 117, 119, 492.
IBIZ Via dei Chiavari, 39   06.68.30.72.97
Tram: 8 🚌 30, 40, 46, 62, 64, H
FEDERICO POLIDORI Via Pié di Marmo, 8   06.67.97.191
🚌 30, 40, 46, 62, 63, 64, 70, 81, 87, 116, 630

Calzature - Shoes - Chaussures - Schuhe - Calzados - Obuwie

BALLOON Via Condotti, 29   06.67.93.916
Ⓜ A (Spagna) 🚌 117,119
BOCCANERA Via Vittoria Colonna, 19   06.32.04.456
🚌 30, 70, 87, 492, 913, 926
BORINO Via dei Pettinari, 86   06.68.75.670
🚌 23, 280
BRUGNOLI Via del Babuino, 57   06.36.00.19.16
Ⓜ A (Spagna) 🚌 117,119
CAMPANILE Via Condotti, 58   06.67.83.041
Ⓜ A (Spagna) 🚌 117,119

FOOT LOCKER Via del Corso, 40   06.32.10.721
Ⓜ A (Spagna) 🚌 117,119
GABRIELLA GIGLIO Via G. Antonelli, 6   06.80.77.029
🚌 223, 910, 926
GRILLI Via del Corso, 166   06.67.93.650
🚌 52, 53, 61, 62, 71, 80, 81, 85, 87, 95, 116, 117
IMPRONTA Via del Governo Vecchio, 1   06.68.96.947
🚌 46, 62, 64, 116
MADA Via della Croce, 57   06.67.98.660
Ⓜ A (Spagna) 🚌 117,119

Grandi magazzini - Departments stores - Grands magazins - Kaufhäuser - Grandes almacenes - Duże magazyny

BIMBUS Via Mantova, 1/b   06.88.42.312
🚌 38, 80, 313
CENTRO EUCLIDE Via Flaminia km. 8,200   06.33.30.695
🚌 200, 232
CINECITTÀ 2 Viale P. Togliatti, 2   06.72.20.910
Ⓜ A (Subaugusta) 🚌 451, 557, 559, 650
COIN Piazzale Appio, 7   06.70.80.020
Ⓜ A (San Giovanni) 🚌 16, 81, 85, 87, 360, 810 Tram: 3
I GRANAI Via Tazio Nuvolari 🚌767   06.51.95.55.05
LA ROMANINA Via E. Ferri, 8   06.72.67.00.01
LE TORRI Via D. Cambellotti, 13 🚌 058   06.21.10.088
RINASCENTE Piazza Fiume, 1   06.84.16.081
🚌 38, 63, 80, 86, 92, 217, 313, 360
ROCCO CASA Via Benzoni, 1 (Air terminal Ostiense) 🚌 673, 716   06.71.35.80.38
ROSATI DUE Via Golametto, 4/a (Piazzale Clodio) 06.39.74.11.39
🚌 23, 30, 31, 69, 70, 88

Discoteche

Boîtes de Nuit -Diskotheken - Discos - Discotecas - Dyskoteki

ALIBI, Via Monte Testaccio, 44   06.57.43.448
ALIEN, Via Velletri, 13/19   06.84.12.212
BELLA BLU, Via Luciani, 21   06.32.30.490
CIAK, Via San Saba, 11/a   06.57.82.022
FOLLIA, Via Ovidio, 17   06.68.30.84.35
GILDA, Via Mario de' Fiori, 97   06.67.97.396
GOSSIP CAFÈ, Via Romagnosi, 11   06.36.11.348

HORUS, Corso Sempione, 21   06.86.89.91.81
JACKIE' O, Via Boncompagni, 111   06.42.88.54.57
JAM, Via dei Chiavari, 4   06.68.32.378
NEW OPEN GATE , Via S. Nicola da Tolentino, 4   06.48.24.464
PALLADIUM, Piazza B. Romano, 8   06.51.10.203
PIPER, Via Tagliamento, 9   06.85.55.398

Campings
Campingplätze

Campeggi

AURELIA CLUB, Via Castel di Guido, 541   06.66.89.039
CAMPING FABULOUS, Via C. Colombo, Km. 18   06.52.58.062
COUNTRY CLUB Castel Fusano, Via Castel Fusano, 45   06.56.62.710
FLAMINIO, Via Flaminia Nuova, 821   06.33.32.604
HAPPY, Via Prato della Corte, 1915   06.33.61.38.00
I PINI, Via delle Sassette, 1 - Fiano Romano   0765.45.33.49
OSTELLO PER LA GIOVENTÚ, Foro Italico - V.le Olimpiadi, 61   06.32.42.571
ROMA CAMPING, Via Aurelia, 831   06.66.23.018
ROMAN RIVER, Via Tenuta Piccirilli, 207   06.33.61.32.63
SEVEN HILLS, Via Cassia, 1216   06.30.36.27.51
TIBER, Via Tiberina, km 1,400   06.33.61.07.33

Monuments - Denkmäler
Monumentos - Zabytki

Monumenti

COLOSSEO e PALATINO, Piazza del Colosseo   Tel. 06.70.05.469
Ingresso (Ticket) € 10,00 Orario: Inv./Wint. 8.30-15.30; Est./Sum. 9.00-19.00
Ⓜ B - 🚌 75, 81, 85, 87, 117, 175, 673, 810, 850 - Tram 3
FORO ROMANO, Via dei Fori Imperiali   Tel. 06.67.84.844
Ingresso gratuito - Free entrance
Orario: Inv./Wint. 9.00-15.30; Est./Sum. 9.00-19.00
Ⓜ B - 🚌 75, 84, 85, 87, 117, 175, 850
FORO TRAIANO, Via dei Fori Imperiali
🚌 75, 84, 85, 87, 117, 175, 850
MERCATI TRAIANEI, Via IV Novembre, 94   Tel. 06.67.90.048
Ingresso (Ticket) € 7,50 Orario: 9.00-18.00; Lunedì chiuso/Closed on Mondays
🚌 40, 60, 63, 64, 70, 117, 170
PANTHEON, Piazza della Rotonda   Tel. 06.68.30.02.30
Ingresso gratuito - Free entrance
Orario: 8.30-19.30; Domenica/Sunday 9.00-18.00
🚌 30, 40, 46, 62, 63, 64, 70, 81, 87, 116, 492, 628, 630, 780, H - Tram: 8

TERME DI CARACALLA, Via Terme di Caracalla　　　　　Tel. 06.57.17.451
Ingresso (Ticket) € 5,00 Orario: 9.00-16.00; Lunedì/Monday 9.00-13.00
🚌 75, 81, 160, 175, 628, 671, 673, 714, 810 - Tram: 3
TOMBA DI CECILIA METELLA, Via Appia Antica, 161　　　Tel. 06.39.96.77.00
Ingresso (Ticket) € 2,00 Orario 9.00-18.00; Lunedì chiuso/Closed on Mondays 🚌 660, 760

Gallerie www.ticketeria.it

**Picture Galleries - Pinacothèques
Pinakotheken - Galerias -
Galerie**

BORGHESE (MUSEO), Piazzale Scipione Borghese, 5　　　Tel. 06.32.810
Ingresso (Ticket) € 8,50 Prenotazione obbligatoria/Obligatory Reservation € 1,03
Orario: 9.00-19.00; Lunedì chiuso/Closed on Mondays
🚌 52, 53, 88, 95, 490, 495, 910
DORIA PAMPHJLI
Piazza del Collegio Romano, 2　　　　　　　　　　　　Tel. 06.67.97.323
Ingresso (Ticket) € 8,00 Orario: 10.00-17.00; Giovedì chiuso/Closed on Thursdays
NAZIONALE ARTE ANTICA - PALAZZO BARBERINI
Via IV Fontane, 13　　　　　　　　　　　　　　　　Tel. 06.48.14.430
Ingresso (Ticket) € 5,00 Orario: 8.30-19.30; Lunedì chiuso/Closed on Mondays
Ⓜ A. 🚌 52, 53, 61, 62, 80, 95, 116, 492
NAZIONALE D'ARTE MODERNA, Viale Belle Arti, 131　　　Tel. 06.32.29.81
Ingresso (Ticket) € 6,50 Orario: 8.30-19.30; Lunedì chiuso/Closed on Mondays
🚌 Tram: 19, 3
SPADA, Piazza Capodiferro, 3　　　　　　　　　　　　Tel. 06.32.810
Ingresso (Ticket) € 5,00 Orario: 8.30-19.30; Domenica/Sunday 8.30-18.30
Lunedì chiuso/Closed on Mondays
🚌 23, 116, 280

Musei www.museidiroma.com

**Museums - Musées
Museen - Museos - Muzea**

ALTO MEDIO EVO, Viale Lincoln, 3 (Eur)　　　　　　　Tel. 06.54.22.811
Ingresso (Ticket): € 2,00 - Orario: 9.00-19.30; Lunedì chiuso/Closed on Mondays
Ⓜ B. 🚌 30, 671, 714, 791
BARRACCO DI SCULTURA ANTICA, Corso Vitt. Emanuele II, 166　Tel. 06.68.80.68.48
Chiuso per restauro, apertura anno 2005/Close for restoration, the museum will reopen in 2005
🚌 30, 40, 46, 62, 64, 70, 81, 87, 116, 492, 628, 780
CAPITOLINI, Piazza del Campidoglio, 1　　　　　　　　Tel. 06.39.96.78.00
Ingresso (Ticket): € 6,20 Orario: 9.00-20.00; Lunedì chiuso/Closed on Mondays
🚌 30, 40, 44, 46, 60, 62, 63, 64, 70, 81, 84, 85, 87, 95, 117, 160, 170, 175, 492, 628, 630,
715, 716, 780, 781, 810, 850

CASTEL S. ANGELO, Lungotevere Castello, 50   Tel. 06.39.96.76.00
Ingresso (Ticket): € 5,00 Orario: 9.00-20.00; Lunedì chiuso/Closed on Mondays
🚌 23, 34, 40, 62, 280, 982
CIVILTÀ ROMANA, Piazza G. Agnelli, 10 (Eur)   Tel. 06.59.26.041
Ingresso (Ticket): € 6,20 Orario: 9.00-14.00; Lunedì chiuso/Closed on Mondays
🚌 703, 707, 764, 765, 767
NAZIONALE ROMANO, Piazza dei Cinquecento, 67   Tel. 06.39.96.77.00
Ingresso (Ticket): € 6,00 Orario: 9.00-19.00; Lunedì chiuso/Closed on Mondays
Ⓜ A e B 🚌 H, 16, 36, 38, 40, 64, 75, 84, 86, 90, 92, 105, 170,
175, 217, 310, 360, 492, 649, 714, 910 - Tram: 5, 14
NAZIONALE ETRUSCO VILLA GIULIA, P.le di Villa Giulia, 9   Tel. 06.32.810
Ingresso (Ticket): € 4,00 Orario: 8.30-19.30; Lunedì chiuso/Closed on Mondays
🚌 Tram: 3,19
PALAZZO VENEZIA, Via del Plebiscito, 118   Tel. 06.32.810
Ingresso (Ticket): € 4,00 Orario 8.30-19.00; Lunedì chiuso/Closed on Mondays
🚌 H, 30, 40, 44, 46, 60, 62, 63, 64, 70, 81, 84, 85, 87, 95, 117,
160, 170, 175, 492, 628, 630, 715, 716, 780, 781, 810, 850
PREISTORICO ED ETNOLOGICO «L. PIGORINI»
Piazza G. Marconi, 14 (Eur)   Tel. 06.54.95.21
Ingresso (Ticket): € 4,00 Orario: 9.00-20.00
Ⓜ B 🚌 30, 671, 714, 791
VATICANI, Viale Vaticano, 13   Tel. 06.69.88.33.33
Ingresso (Ticket): € 10,00 Orario: Inv./Winter 8.45-13.45; Est./Summer 8.45-16.45;
Sabato/Saturday 9.00-13.00; Domenica chiuso/Closed on Sundays. Ultima domenica del
mese aperto (entrata gratuita). Open on every last Sunday of the month (free entrance).
🚌 23, 32, 49, 64, 81, 492, 907, 982, 990, 991
PALAZZO ALTEMPS, Piazza Sant'Apollinare, 48   Tel. 06.68.69.654
Ingresso (Ticket): € 5,00 Orario: 9.00-19.45
(prenotazione obbligatoria/obligatory reservation; Lunedì chiuso/Closed on Mondays
🚌 30, 70, 81, 87, 116, 492, 628
PALAZZO DELLE ESPOSIZIONI, Via Nazionale, 194   Tel. 06.48.85.465
Chiuso per restauro, apertura anno 2005/Close for restoration, the museum will
reopen in 2005
🚌 40, 60, 63, 64, 70, 71, 117, 170
MUSEO NAZIONALE DELLE PASTE ALIMENTARI
Piazza Scanderbeg, 117   Tel. 06.69.91.119
Ingresso (Ticket): € 10,00 Orario: 9.30-17.30
🚌 52, 53, 61, 62, 71, 80, 81, 85, 95, 116, 117, 119, 160, 175, 492, 628, 850
MUSEO CIVICO DI ZOOLOGIA, Via Aldrovandi, 18   Tel. 06.67.10.92.70
Ingresso € 4,50 Orario: 9.00-19.00; Lunedì chiuso/Closed on Mondays
🚌 53, 217, 910 - Tram: 3, 19

MUSEO DELLE CERE, Piazza Venezia (lato S.S. Apostoli)   Tel. 06.67.96.482
Ingresso € 5,00 Orario: 9.00-20.00
🚌 H, 30, 40, 44, 46, 60, 62, 63, 64, 70, 81, 84, 85, 87, 95, 117, 160,
170, 175, 492, 628, 630, 715, 716, 780, 781, 810, 850
MUSEO DEGLI STRUMENTI MUSICALI
Piazza S. Croce in Gerusalemme, 9/a   Tel. 06.32.810
Ingresso € 2,00 Orario: 8.30-19.30; Lunedì chiuso/Closed on Mondays
🚌 649 - Tram: 3
ORTO BOTANICO, Largo Cristina di Svezia, 24   Tel. 06.68.64.193
Ingresso (Ticket) € 2,07 Orario: Inv./Wint. 9.00-17.00; Est./Sum. 9.00-19.00;
🚌 23, 280, 870
BIOPARCO (ex Zoo), Villa Borghese   Tel. 06.32.16.564
Ingresso (Ticket) € 8,50 Orario: 9.30-17.00
Ⓜ A. 🚌 52, 217, 910 - Tram: 3,19

Catacombe

**Catacombs - Catacombes -
Katakomben - Catacumbas -
Katakumby**

PRISCILLA, Via Salaria, 430   Tel. 06.86.20.62.72
Ingresso (Ticket): € 5,00 Orario: 8.30-12.00/14.30-17.00; Lunedì chiuso/Closed on Mondays
🚌 63, 88, 92, 310, 630
SAN CALLISTO, Via Appia Antica, 126   Tel. 06.51.30.15.80
Ingresso (Ticket) € 5,00 Orario: 8.30-12.00/14.30-17.00; Mercoledì chiuso/Closed on Wednesdays
🚌 218, 660, 760
SAN SEBASTIANO, Via Appia Antica, 132   Tel. 06.78.50.350
Ingresso (Ticket) € 5,00 Orario: 8.30-12.00/14.30-17.00; Domenica chiuso/Closed on Sundays
🚌 660, 760
SANTA DOMITILLA, Via delle Sette Chiese, 282   Tel. 06.51.10.342
Ingresso (Ticket) € 5,00 Orario: 8.30-12.00/14.30-17.00; Martedì chiuso/Closed on Tuesday
🚌 218, 716

Chiese

**Churches - Églises - Kirchen
Iglesias - Kościoły**

CHIESA DEL GESÙ, Piazza del Gesù   Tel. 06.67.86.341
Orario: 7.00-12.30/16.00-19.15 - 🚌 30, 40, 44, 60, 62, 63, 64, 70, 81, 84, 85, 87, 95, 630
SAN GIOVANNI IN LATERANO, P. San Giovanni in Laterano, 4   Tel. 06.77.20.79.91
Orario: 7.00-19.00 - 🚌 16, 81, 85 Ⓜ A (San Giovanni) - Tram: 3
SAN LORENZO FUORI LE MURA, Piazzale del Verano, 3   Tel. 06.49.15.11
Orario: 7.30-12.15/15.00-18.30
Tram: 3, 19. 🚌 71, 93, 492

SAN LUIGI DEI FRANCESI, Via San Luigi dei Francesi, 5   Tel. 06.68.82.71
Orario: 8.30-12.30/15.30-19.00 - Giovedì chiuso/Closed on Thursdays
🚌 30, 70, 81, 87, 116, 492

SAN MARCELLO AL CORSO, Piazza San Marcello, 5   Tel. 06.69.93.01
Orario: 8.00-12.00/16.00-20.00; domenica/Sunday 8.30-11.00/16.00-18.00
🚌 62, 81, 85, 95, 117, 119, 492, 630

SAN PAOLO FUORI LE MURA, Via Ostiense, 186   Tel. 06.54.03.381
Orario: 7.00-19.00
🚌 23, 128, 670. Ⓜ B (San Paolo)

SAN PIETRO IN VATICANO, Piazza San Pietro   Tel. 06.69.88.44.66
Orario Basilica: 7.00-19.00; Orario Tesoro: 9.00-18.30; Orario Sacre Grotte: 7.00-18.00; Orario Cupola: 8.00-18.00; Udienze papali: mercoledì h. 11.00; Audience with the Pope: Wednesday hour 11.00 a.m.; Benedizioni papali: domenica h. 12.00; Papal blessing: Sunday hour 12.00 p.m.
🚌 23, 40, 64, 81, 492. Ⓜ A (Ottaviano-S. Pietro)

SANT'AGNESE IN AGONE, Via S. Maria dell'Anima, 30   Tel. 06.68.19.21.34
Orario: 16.30-18.30; Domenica/Sunday 10.00-12.00
🚌 H, 30, 40, 46, 62, 63, 64, 70, 81, 87, 116, 492, 630 - Tram 8

SANT'ANDREA DELLA VALLE
Piazza Sant'Andrea della Valle, 1   Tel. 06.68.61.339
Orario: 7.30-12.30/16.30-19.30
🚌 H, 40, 46, 62, 63, 64, 70, 81, 87, 116, 175, 492, 630 - Tram 8

S. ANDREA AL QUIRINALE, Via del Quirinale, 29   Tel. 06.47.44.872
Orario: mercoledì-lunedì/Wednesday-Monday 10.00-12.00
🚌 60, 63, 64, 70, 71, 117, 170

SANT'ANDREA DELLE FRATTE, Via Sant'Andrea delle Fratte, 1 Tel. 06.67.93.191
Orario: 6.30-12.30/16.00-19.00
Ⓜ A (Spagna) 🚌 52, 53, 61, 62, 71, 80, 95, 116, 117, 492

SANT'IGNAZIO DI LOYOLA, Piazza di Sant'Ignazio 1   Tel. 06.67.94.406
Orario: 7.30-12.30; 15.00-19,15
🚌 62, 81, 85, 95, 117, 119, 492

SANT'IVO ALLA SAPIENZA, Corso del Rinascimento, 40   Tel. 06.68.64.987
Orario: 9.00-12.00. Luglio e Agosto chiuso/Closed on July and August
🚌 H, 30, 40, 46, 62, 63, 64, 70, 81, 87, 116, 492, 630 - Tram 8

S. CROCE IN GERUSALEMME, P. di S. Croce in Gerusalemme, 12   Tel. 06.70.14.769
Orario: 6.45-19.00 🚌 649 - Tram: 3

SANTA MARIA DEI MIRACOLI, Via del Corso, 528   Tel. 06.36.10.250
Orario: 6.00-13.00/16.00-19.30; domenica/Sunday 8.00-13.00/16.30-19.30
Ⓜ A (Flaminio). 🚌 95, 117, 119, 490, 495, 628, 926 - Tram: 2

SANTA MARIA DEL POPOLO, Piazza del Popolo, 12   Tel. 06.36.10.836
Orario: 7.00-12.00/16.00-19.00; domenica/Sunday 8.00-14.00/16.30-19.30
Ⓜ A (Flaminio) 🚌 95, 117, 119, 490, 495, 628, 926 - Tram: 2

SANTA MARIA IN ARA COELI, Piazza del Campidoglio, 4   Tel. 06.67.98.155
Orario: 7.00-12.00/16.30-17.30
🚌 30, 40, 44, 60, 62, 63, 64, 70, 81, 84, 85, 87, 95,160, 170, 628, 630, 715, 716, 781, 810

SANTA MARIA IN MONTESANTO, Via del Babuino, 197   Tel. 06.36.10.594
Orario: 16.00-19.00 - Chiuso Agosto/Closed on August
Ⓜ A (Flaminio) 🚌 95, 117, 119, 490, 495, 628, 926 - Tram: 2

SANTA MARIA IN TRASTEVERE, Piazza Santa Maria in Trastevere   Tel. 06.58.14.802
Orario: 7.30-13.00/16.00-19.00
🚌 H, 23, 280, 780 - Tram: 8

SANTA MARIA IN TRIVIO, Piazza dei Crociferi, 49   Tel. 06.67.89.645
Orario: 8.00-12.00/16.00-19.30
🚌 52, 53, 61, 62, 71, 80, 95, 116,117, 492

SANTA MARIA MAGGIORE, Piazza di Santa Maria Maggiore   Tel. 06.48.31.95
Orario: 7.00-19.00; Affreschi/Frescos 9.00-17.00
🚌 16, 70. Ⓜ A (Termini) Tram: 5, 14

SANTA MARIA SOPRA MINERVA, Piazza della Minerva, 42   Tel. 06.67.93.926
Orario: 7.00-12.00/16.00-18.00; Chiostri/Cloisters 8.30-13.00/16.00-19.00
🚌 H, 30, 40, 46, 62, 63, 64, 70, 81, 87, 116, 492, 630 - Tram 8

SANTI VINCENZO E ANASTASIO, Vicolo dei Modelli, 73   Tel. 06.67.83.098
Orario: 7.30-12.00/16.00-19.00
🚌 52, 53, 61, 62, 71, 80, 95, 116,117, 492

SANTI XII APOSTOLI, Piazza dei Santi Apostoli, 51   Tel. 06.69.92.19.51
Orario: 6.30-12.00/16.00-19.15
🚌 30, 40, 44, 60, 62, 63, 64, 70, 81, 84, 85, 87, 95, 630

SS. TRINITÀ AL MONTE PINCIO, Piazza Trinità dei Monti, 3   Tel. 06.67.94.179
Orario: 9.30-18.30
Ⓜ A (Spagna) 🚌 117, 119

Farmacie notture	Pharmacies open at night Pharmacies nocturnes

Nachtapotheken - Farmacias nocturnas - Apteki nocne

ALLO STATUTO (Esquilino), Via dello Statuto, 35/a	06.44.65.788
ARENULA, Via Arenula, 73	06.68.80.32.78
BRIENZA, Piazza Risorgimento, 44	06.39.73.81.86
COLA DI RIENZO (Prati), Via Cola di Rienzo, 213	06.32.43.130
ESEDRA (Esquilino), Piazza della Repubblica, 67	06.48.80.410
GIUDICE (Flaminio), Corso Francia, 174	06.32.90.853
IANNOTTA (Aurelio), Piazza Pio XI, 30	06.63.27.90
IMBESI (Eur), Viale Europa, 76	06.59.25.509
INTERNAZIONALE, Piazza Barberini, 49	06.48.71.195
LATTANZI (Aurelio), Via Gregorio VII, 154/A	06.63.09.35

PIRAM, Via Nazionale, 228   06.48.80.754
SALUS, Viale Trastevere, 229   06.58.82.273
SAN PAOLO (Ostiense), Via Ostiense, 168   06.57.50.143
SENATO, Corso Rinascimento, 48   06.68.80.37.60
SPADAZZI (Flaminio), Piazza Ponte Milvio, 15   06.33.33.753
TRE MADONNE, Via Bertoloni, 5   06.80.73.423

TARIFFE AUTOBUS - BUS UNDERGROUND AND URBAN RAILWAY FARES
TARIFS D'AUTOBUS, MÉTRO ET CHEMIN DE FER URBAIN - PREISE VON
AUTOBUSSEN, U-BAHNEN UND STADTBAHN - TARIFAS AUTOBÚS,
METRO Y FERROCARRILES URBANOS

ATAC - MET.RO. Informazioni/Information   800.431.784
COTRAL Informazioni/Information   800.150.800

BIGLIETTI : BIT - Biglietto integrato a tempo valido 75 minuti sull'intera rete Bus e Tram ATAC, sui tratti all'interno del Comune di Roma dei Bus, delle Ferrovie MET.RO. ed una sola corsa sulla Metro: € 1,00. **BIG** - Biglietto integrato giornaliero valido 24 ore per la rete urbana Bus e Tram ATAC, Linee Laziali, Metro, Ferrovie urbane: € 4,00 **BTI** - Biglietto turistico integrato, valido 3 giorni: € 11,00

ABBONAMENTI: Abbonamento mensile ordinario per Metro, Bus e Ferrovia urbana: € 30,00. **Abbonamento annuale** ordinario per Metro, Bus e Ferrovia urbana: € 230,00. **Carta integrata settimanale** (CIS) per Metro, Bus e Ferrovia urbana: € 16,00

I biglietti e gli abbonamenti mensili e settimanali possono essere acquistati presso le rivendite di tabacchi, bar e giornalai che espongono l'apposito cartello. L'abbonamento annuale può essere acquistato anche in banca.

TICKETS: BIT - Integrated time ticket, valid for 75 minutes from first stamping. It can be used on all Busses, Trams and Urban railway MET.RO. and includes one Underground trip: € 1,00. **BIG** - Integrated dayly ticket, valid for 24 hours from first stamping. It can be used on all Busses, Trams, Underground or Urban railways: € 4,00. **BTI** - Integrated tourist ticket, valid 3 days: € 11,00

SEASON TICKETS: Monthly season ticket (standard rate) for Underground, Bus and Urban railway: € 30,00. **Annual season ticket** (standard rate) for Underground, Bus and Urban railway: € 230,00. **Integrated weekly ticket** (CIS) for Underground, Bus and Urban railway: € 16,00

Tickets can be purchased at tobacconists', cafeterias' and newsagents showing the relative notice. The annual season ticket can also be purchased at banks.

BILLETS: BIT - Billet valable 75 minutes sur tout le réseau Autobus, Tram, Chemin de fer urbain MET.RO. de Rome pour un voyage en Métro: € 1,00. **BIG** - Billet integré valable un jour dans le réseau urbain Bus, Tram, Chemin de fer urbain, Métro: € 4,00. **BTI** - Billet integré touristique, valable trois jours: € 11,00

ABBONEMENTS: Abonnement mensuel (tarif normal) pour le Métro, le Bus et le Trafic Ferroviaire urbain: € 30,00. **Abonnement annuel** (tarif normal) pour le Métro, le Bus et le Trafic Ferroviaire urbain: € 230,00. **Carte forfaitaire hebdomadaire** (CIS) pour le Métro, le Bus et le Trafic Ferroviaire urbain: € 16,00

Les voyageurs peuvent acheter les billets et les abonnements dans les tabacs, les cafés ou les kiosques à journaux.

FAHRKARTEN: BIT - Autobus, Strassenbahn, Stadtbahn (MET.RO.) von Rom, und eine Fahrt in der U-BAHN: Gültigkeit 75 Minuten auf dem gesamten Netz: € 1,00. **BIG** - Die integrierte Fahrkarte ist einen Tag auf dem ganze Autobus, Strassenbahn-U-Bahn, und Stadtbahnnetz (FM) gültig: € 4,00. **BTI** - Drei Tage gültige touristische Sammelfahrkarte: € 11,00

ABONNEMENTS: Integriertes Monatsabonnement für U-Bahn, Bus, Strassenbahn und Stadtbahn: € 30,00. **Integriertes Jahresabonnnement** für U-Bahn, Bus, Strassenbahn und Stadtbahn: € 230,00. **Integriertes Wochenkarte** für U-Bahn, Bus, Strassenbahn und Stadtbahn: € 16,00.

Die Fahrscheine sowie die Abonnements sind in den Tabäkladen, Bars und Zeitungsständen erhältlich, die mit dem entsprechenden Verkaufsschild versehen sind.

BILLETES: BIT - Billete integrado para 75 minutos de todo el recorrido Autobús, Tranvía, Ferrocarriles urbanos MET.RO. de la ciudad de Roma y además una parada de Metro: € 1,00. **BIG** - Billete integrado con una validez de un día para la red urbana de Autobús, Tranvía, Metro, Ferrocarriles urbanos: € 4,00. **BTI** - Billete integrado turistico con una validez de tres dias: € 11,00

ABONOS: Abono mensual ordinario para Metro, Autobuses, y Ferrocarril urbano: € 30,00. **Abono anual** ordinario para Metro, Autobuses, y Ferrocarril urbano: € 230,00. **Tarjeta semanal integrada** (CIS) para Metro, Autobuses, y Ferrocarril urbano: € 16,00.

Los billetes y abonos pueden adquirirse en estancos, bares, y quioscos que tengan el cartel exposto

WC BAGNI PUBBLICI - RESTROOMS - TOILETTES - TOILETTEN
BAÑOS PÚBLICOS - TOALETY PUBLICZNE

Bagni automatici - Automatic toilets - Toilettes automatiques - Automatisierte Toiletten - Baños automáticos - Toalety Hiejskie (€ 0,50 - dalle 5,00 alle 23.00 ore):
(1) P. Giuseppe Primoli • (2) Via M. Gelsomini • (3) P. Annibaliano • (4) Piazza Mancini (5) Parcheggio ATAC Grotte Celoni • (6) P. Re di Roma (7) Via dei Rogazionisti (8) P. Zama • (9) Via Ostiense • (10) Via F. Tommaso Marinetti • (11) Piazzale Clodio (12) Viale Giulio Cesare • (13) Viale Mazzini (14) Viale de Coubertin • (15) Staz. Tiburtina (16) P. di Cinecittà • (17) P. Conca d'Oro • (18) Mercato di Ponte Milvio • (19) P. Elio Rufino (20) P. dell'Agricoltura • (21) V.le dell'Umanesimo • (22) V. degli Irlandesi • (23) V. Macaluso (24) V. Pietro Frattini • (25) V. Porta Portese • (26) V. Sergio I (27) V. dell'Assunzione (28) V. Mattia Battistini • (29) V. L. Amoroso

Bagni con custode - Restrooms with custodian - Toilettes gardées - Beaufsichtigte Toiletten - Baños con guardián - Toalety strzeżone:
[1] L.go di Villa Peretti (h. 10.00 - 16.40) • [2] Villa Borghese (h. 10.00 - 16.40) • [3] Colosseo (h. 10.00 - 17.40) • [4] Passeggiata di Ripetta (h. 10.00 - 16.40) • [5] San Silvestro (h. 10.00 - 19.40) • [6] Valle Camene (h. 10.00 - 16.40) • [7] Santa M. Liberatrice (h. 10.00 - 16.40) • [8] P. dell'Esquilino (h. 10.00 - 16.40) • [9] P. Garibaldi (h. 10.00 - 16.40) • [10] P. di Spagna (h. 10.00 - 19.40) • [11] V. Zanardelli (h. 10.00 - 17.40) • [12] Pincio (h. 10.00 - 16.40) • [13] P.ta Maggiore (h. 10.00 - 16.40) • [14] P. di Porta S. Giovanni (h. 10.00 - 16.40) • [15] V. Carlo Felice (h. 10.00 - 16.40) • [16] Città Leonina (h. 9.00 - 17.40) • [17] L.go Porta Cavalleggeri (h. 10.00 - 16.40) • [18] V. XX Settembre (h. 10.00 - 16.40) • [19] Villa Celimontana (h. 10.00 - 16.40) • [20] Villa Ada (h. 10.00 - 16.40) • [21] Villa Lazzaroni (h. 10.00 - 16.40) • [22] Area Basilica di S. Paolo (h. 10.00 - 16.40) • [23] V. Ardeatina (Dazio) • [24] Pineta Castel Fusano - V.le G. Pavese (h. 10.00 - 16.40) • [25] Villa Pamphili (h. 10.00 - 16.40)

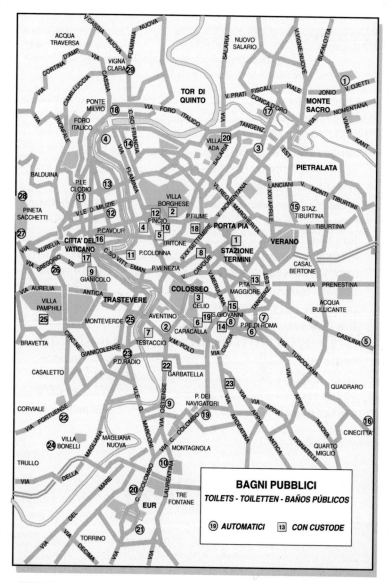

BAGNI PUBBLICI

TOILETS - TOILETTEN - BAÑOS PÚBLICOS

⑲ AUTOMATICI   ▪13 CON CUSTODE

Servizi DI INTERESSE PUBBLICO

Addresses of public interest
Adresses d'intérêt public
Nützliche Telefonnummern - Servicios de público interés - Informacje

☎

CARABINIERI	112
POLIZIA *(Police)*	113
VIGILI DEL FUOCO *(Firemen)*	115
GUARDIA DI FINANZA	117
PRONTO SOCCORSO *(First aid)*	118
AEROPORTI *(Airports)*	
Fiumicino (Leonardo da Vinci)	06.65.951
Ciampino	06.79.49.41
Info Voli	06.65.95.36.40
AMBULANZE *(Ambulances)*	06.55.10
ATAC - TRAMBUS - METRO *(Information)*	800.431.784
COTRAL *(Information)*	800.150.008
FERROVIE DELLO STATO *(Railways)*	892.021
Sito Internet.	www.fs-online.it
INFORMAZIONI TELECOM *(Telephone information)*	187
RADIOTAXI	06.41.57 - 06.66.45 - 06.49.94
	06.55.51 - 06.35.70
SOCCORSO ACI *(Road assistance)*	803.116
VIGILI URBANI *(Policeman)*	06 67.691

00168 ROMA - Via A. M. Valsalva, 34 - Tel. 06.30.55.226 - www.editricelozzi.it
Stampa Tipografica La Piramide - Roma